被災ママ
812人が
作った

子連れ防災手帖

編：つながる.com

はじめに

この本が生まれた背景

Lo紀子
アクティブ防災事業主宰
NPO法人MAMA-PLUG代表理事

東日本大震災で被害にあわれた皆様に心よりお見舞い申し上げます。亡くなられた方々のご冥福を願うとともに、被災された地域の復興を心より願っております。

２０１１年3月11日14時46分、私は都内のビル街に同僚と一緒にいました。大きな揺れに動転し、どこに避難するかも迷うような情けないありさま。備えはできていたつもりでしたが、実際には、何もできない自分がいました。

娘を預けた保育園と自宅のある神奈川までは、徒歩で5時間。無事に帰宅できたことにホッとしたのもつかの間、テレビで流れてくる映像に言葉を失いました。〝あの大きな揺れは大震災だったのだ〟とわかったのは、このときでした。

翌日、準備していた防災バッグの中身を改めてチェックしましたが、〝夏休み最終日にとりあえず仕上げた自由研究〟並の中途半端な備え。防災本を見ながら、慌てて防災グッズを買い足しました。でも、本当の意味で、私の中で防災意識が高まったのは「つながる.com（東日本大震災の復興支援）」をはじめてからのことでした。

「つながる.com」は、ワークショップ形式で被災された方々と一緒にトートバッグを制作し、販売するプロジェクトです。2人以上集まれば、自然と会話に花が咲くもの。ワークショップは交流の場、情報交換の場にもなっています。

ここで必ず話題となるのが、3・11の直後のことや、その後の避難生活についてです。実際に被災した方の体験談を伺うと、防災に対する意識が変わります。

備えるべきもののリストだけ見て、「ずいぶん多くの量だな……」と思うだけで準備しなかったものも、その〝モノ〟がなかったことでどれだけ大変だったかを聞くと、そうも言ってはいられません。

また、緊急時の家族のルールを決めていなかったことで生じたすれ違いが、埋められない夫婦間の溝になってしまった話には、とりあえず決めておいた方法で本当に乗り切れるのか、家族でのルールを真剣に考えるきっかけになりました。

この本は、3・11で被災された方々に、ご自身の体験談と必要な防災術について、自分の友人に教えるような形でシェアしてもらったものです。家族や友人を守りたいという気持ちから生まれた本ですから、ママに必要な防災のエッセンスが詰まっています。

集めた体験談は、全国のママたちに広く伝えるまでの、大切な預かりものだと思って、この本の制作に携わりました。ですから、この本を手に取られた方には、ご自分の友人の言葉に耳を傾けるような気持ちで読んでいただけたら幸いです。

そして、もし、この本が防災を見直すきっかけになりましたら、体験談をシェアしてくれた友人たちへのお返しとして、被災地の支援活動をはじめてみませんか？

私自身、防災のために支援活動をはじめたわけではありませんが、活動のたびに〝母として子どもを守っていく術〟を学ばせていただいているようにも思います。

震災直後とは違い、いろいろな形で携われる支援が行われています。自分のできる範囲で、無理せずに参加でき、続けられる支援活動をぜひ探してみてください。

被災ママ812人が作った

子連れ防災手帖

もくじ

2 はじめに

1 3.11 その瞬間と直後

8 被災ママ体験談 3・11その瞬間
22 イラストエッセイ『その日』
26 自宅で地震にあったら
27 外出先で地震にあったら
28 第一次避難バッグ(一次持ち出し品)
30 子どもを守る避難術 その瞬間、子どもをどう守る?
32 被災ママ体験談 3・11から2、3日後
42 イラストエッセイ『翌日〜2週間』
46 震災日記 東日本大震災から4日間の記録
50 第二次避難バッグ(二次持ち出し品)
51 ライフラインが止まった! そのとき、どうした?
52 その日の夜、どう過ごした?
54 避難のタイミング 避難するべき? タイミングと判断材料

2 避難生活

56 被災ママ体験談 避難生活
64 乳幼児と妊婦のMUSTケア
66 子どものメンタルケア
68 アロマセラピーによる心身のケア
70 避難所でできるストレッチ
72 防災レシピ
74 被災ママ体験談 仮説住宅生活
80 仮説住宅生活を快適に
81 女性を支援する施設へ行こう!①

82 被災ママ体験談 疎開生活
88 被災後の移動
90 3・11後、子どもに生じた変化
92 3・11後、ママが心の中で闘っているもの
94 被災ママ体験談 震災による変化

親子防災 3

100 3・11を知ることからはじめる防災
101 3・11直後とその後
102 地震発生時からライフライン復旧まで
104 自宅をシェルターに
106 家族のルールを作ろう!
108 防災ごっこをしよう!
110 防災ピクニックに出かけよう!
112 防災キャンプをしよう!
114 幼児にできる防災訓練
115 預け先との連携
116 覚えておきたいファーストエイド
117 ファーストエイドが学べる講習会
118 特別なニーズのある子どもと震災
119 特別なニーズのある子どものための防災
120 ママ目線でセレクトした、オススメ防災グッズ
122 100円ショップでそろう防災グッズ
124 女性ならではの防災術
125 女性に必要な防犯対策
126 非常時にも頼れる子育て支援団体
128 女性を支援する施設へ行こう!②

4 つながる.com

130 つながる.comことはじめ
132 つながるワークショップとは?
134 ワークショップ参加者の体験談
136 つながるトートとは?
138 復興に何が必要か 阪神大震災の経験から
139 つながる.com プロジェクトメンバー
140 あとがき
142 SPECIAL THANKS
143 被災ママからのメッセージ

1

3.11
その瞬間と直後

被災ママ体験談　3・11その瞬間

3月11日14時46分 地震の直後、ママたちは、子どもを守ることだけで精一杯だった

地震の瞬間思ったこと

子どもの顔が浮かんだ「無事でいて！」

「"地震"と思った瞬間、学校から帰ってきた後
すぐに出かけた息子の顔が浮かんだ。
長い長い揺れの中で頭が真っ白になった。
収まってから息子を探しにいきたいのに、
どこへ向かったらいいのかわからず取り乱した（息子8歳）」。
「大きな揺れに一歩も動けない中、娘の顔が浮かんだ。
揺れが収まった瞬間、車に乗り、余震のある中、必死で
保育園に向かって走ったが、アスファルトがガタガタになっていて、
何度もハンドルを取られた（娘3歳）」。
「保育園に預けていた長男を迎えにいき、無事を確認した瞬間
腰が抜けてへたり込んでしまった（息子5歳）」。

大パニックになった

「どうしていいのかわからずパニックになった。
ただひたすら、しゃがみこんだ（娘4歳）」。
「頭の中が真っ白で、何が起きたのかもわからず、
とにかく子どもを抱きしめるしかできなかった（娘6カ月）」。
「どうしたらいいのかわからなくなり、
パニックになりかけましたが、玄関から外に出て、
隣の家まで行きました（息子10歳、娘2歳）」。

何が起きたのか、わからなかった

子どもに覆いかぶさった

「今出てこないで！」とお腹の子に向かって叫んだ

助けたいのに、助けられなかった

「津波で流される人を大勢見た。
でも、どうしようもなかった（妊婦）」。
「子どもを連れて車で高台に向かっている途中、
広場や体育館に避難している人たちを大勢見た。
でも、とにかく子どもを連れて、
迫りくる津波から逃げることで精一杯だった。
後で、そこは津波に飲まれたと知った（娘1歳）」。
「津波が我が家を飲み込んでいくのを高台から見ていた。
"神様はいない"と思った（娘1歳）」。

外出先で

周囲の人たちと声をかけ合った

「デパートで買い物中に被災。
息子に覆いかぶさって『大丈夫だよ』と声をかけた。
商品の落下物が危険だったので、
ほかのお客さんとも声をかけ合った
(息子7カ月)」。
「外を歩いていた。とっさにコートの
中に娘の頭を隠してしゃがみこんだ。
道沿いの人たちが『そっちは危ない』『上、気をつけて』と
声をかけ合っていた(娘5歳)」。

3、4時間、その場を動けなかった

「レストランで被災。
レストランの店員さんに指示されて屋外へ避難。
車に乗り、ラジオで情報収集をした。
震源地や津波の危険を確認、
自分のいる場所が海とは遠い高台だったので、
その場所で待機。信号が動かないし、
余震も怖いので、3、4時間、運転を見合わせて
その場を動かなかった(息子1歳)」。

勤務先で

「ショップでの勤務中だったので、
逃げ道を確保しなければと
自動ドアを開けた瞬間に、大きな揺れになり、
立てないほどになった。お客様とスタッフを誘導し、
建物から遠ざけた。近くの家の瓦がボロボロと落ちるのが見えた。
あまりにも揺れが大きく、携帯電話の操作もできなかった(妊婦)」。
「勤務中だったが、机の下に避難するも、机ごと大きく揺れ、
さらに危険だったため、机から出て書類棚などのない広い場所で
収まるのを待った(息子1歳)」。

「子どもの保育園は無事!?」それだけが頭の中を駆け巡った

「震災時に会社のテレビで津波の様子を
唖然としながら見ていました。
“自分のうちは大丈夫だろう”と思っていたのに、
1階の天井部分まで浸水し、
家具も何もかも流失して筒抜け状態に。
原発事故が重なり、避難命令が出てしまったので、
実際自宅を見たのは
2週間も経ってからでした。(娘2歳)」。

まさか、自宅が津波に!?
会社のテレビを唖然として見ていた

街は大混乱だった とても、現実だと思えなかった

「職場のほかのスタッフに促され、建物の外へ。
一度荷物を取りに戻ったが、また、いつ大きな揺れが来るかと思うと、
気が気でなかった。建物の外にしばらくいたが、
“この建物が崩れてきたら”と思うと常に不安な気持ちだった。
信号のつかない道路は大渋滞。歩いて帰ることにした。
大きく揺れる建物、急に降り出した雪、
つながらない携帯電話、どれも現実のこととは
思えなかった(息子8歳)」。
「勤務先の通路にいた。
地震が収まってから、
目の前がいったん真っ暗になって
非常灯がついたので、
止まっていたエスカレーター
(3階だった)から
同僚らと一緒に降りました。
1階に着くと、
人がたくさん集まっていて、
パニック状態でしたが、
冷静にしゃがんでいたと思います。
しかし皆が『ビルも危ない』と
言いはじめ、
外へ逃げました(息子4歳)」。

自宅

何もできない

「私と娘はお昼寝中でした。
最初のひと揺れでテレビの
電源を即入れましたが、
すぐにブチッと停電になりました。
娘に寄り添っていましたが、
揺れが大きく長かったため、
テーブルなどの下には入らず、
防寒具を着せて家の外に
出てしゃがみ、娘に覆いかぶさるように
抱いたままの姿勢でいました（娘5カ月）」。

「友達とお茶をしているときで、
長女が帰宅してすぐの地震でした。
テーブルの下に娘を潜り込ませたものの、
娘が飛び出さないように押さえ込みました（娘7歳）」。

子どもとテーブルの下に潜り、子どもを押さえ込んだ

授乳中だった

「授乳中に大きな揺れが。
そのまま娘を抱え、這うようにして、
物が倒れてきても大丈夫なように
部屋の中心へ移動した（息子1歳）」。

とにかく子どもを抱きかかえた

「ベランダの窓を開け、子どもを抱きかかえて
いつでも避難できるようにした。テレビをつけた
（息子7歳、娘2歳）」。
「お昼寝中の娘を抱きかかえて、
ただただ揺れが収まるのを待った
（息子4歳、娘1歳）」。

まさか、家にまで!?
津波で動けなくなった

「地震が収まった後、しばらく呆然としていたら、津波が来た。
マンションの4階の部屋から身動きが取れなくなってしまった。(妊婦)」。
「自宅敷地内の駐車場に逃げた。津波警報のサイレンが鳴っていたので、
荷物をまとめて逃げた(息子3歳、1歳)」。
「家族全員で避難所となる小学校に行きました。体育館が開放されたので、
そこに入ったところ、津波が押し寄せてきました。体育館ギャラリー部分へ駆け上り、
難を逃れました。水が引く22時過ぎまで、体育館で、そこから校舎に移動し、
一晩過ごしました(娘8歳、5歳)」。
「大津波警報が出ていると県外の友人から電話があったので、
雪が降っている中、子どもに上着を着せ、
少量の水を持って、車に乗って山に向かって逃げた(娘3歳)」。

地震が収まってから

「押し入れから毛布を出しました。
長女にコートとマフラーを着せ、
冷蔵庫から飛び出したものを元に戻しました。
割れ物などを確認し、
車に乗り込みラジオをつけ、
情報を聞きながら二女の保育所に向かいました。
二女を引き取り、
夫の実家でひとりだった姑が心配になり、
迎えにいきました(妊婦・娘8歳、5歳)」。
「着るものを着せて
携帯電話を持って外へ出ました。
ご近所も同じような方が多かった(娘1歳)」。

どうしていいのか、わからなかった

「料理中だった。下の子を抱きかかえたままガスを止め、
ダイニングテーブルの下に上の子を誘導し、
覆いかぶさるようにして子どもを守った。揺れが収まってから、
おんぶ紐で0歳児をおんぶ、2歳児を抱っこして外へ。
でも、それから、どうしていいかわからず、
玄関前をひたすらウロウロしていた(娘4カ月、2歳)」。
「オムツなど娘に必要なものだけを自宅に取りにいき、
車で生活できるように整えました。(娘9カ月)」。

被災ママ体験談01

子どもと連絡が取れない

学校に行っているのか、
下校途中なのか、
子どもたちの様子がわからず、
大きな不安に襲われました
（41歳・息子12歳、娘10歳）

▼状況…夫婦共働きで、それぞれ仙台の仕事先で被災。地震の直後、心配したのは小学生の息子と娘のこと。学校にいるのか、下校途中なのか、自宅にいるのか、まったくわからない状況。余震が続く中で不安が募った。

地震の直後はつながらなかった夫と電話が通じ、お互いの無事は確認できました。夫から「子どもたちはどうなってるの？」「うちにいてケガとかしてないかな？」と聞かれるのですが、子どもの様子はまったくわかりません。

急に不安が募り、〝もしかしたら下校途中で、ケガをしているかも……〟〝家にいて、飛んできたテレビや家具でケガをして、動けなくなっていたらどうしよう……〟と、気が気ではありませんでした。考えてみると、こういう場合、小学校ではどう対応するのか、まったくわかりませんでした。

街では、電車もバスも止まっていたので、夫は歩いて自宅まで帰るしかなかったのですが、職場から家に帰る橋が通行止めになっていて、歩いて帰るのも不可能。「途中で私が車で拾って一緒に帰ろう」ということになりました。信号がすべて止まっている中、大渋滞で車を使っても、帰宅までは5時間近くかかるようでした。

夫との電話を切った後、子どもの友達のママに連絡を取ることを思いつきました。

〝仕事をしていないママなら自宅にいるはず……〟と、何度も何度も電話をして、ようやくつながりました。子どものことを聞いてみると、「今、うちの子と一緒に集団下校してきたと思うよ」と言われ、ともかく子どもたちの無事は確認できました。そこでそのママに、急いで家まで様子を見てきてもらうように頼みましたが、電

話は切れてしまいました。

大きな揺れを感じてから2時間後、私はようやく職場を出て車で自宅へと向かいました。

帰宅途中、夫と合流できたのは午後7時過ぎ。自宅へ帰れたのは午後8時を過ぎていました。帰宅直前に、子どもとも電話がつながり、震災後5時間経ってようやく子どもたちの元気そうな声を聞くことができました。

子どもたちの話によると「家に確実に親がいる人は集団下校」と言われ、私の仕事が休みだと思った子どもたちは先生と一緒に、うちに帰ってきたそうです。

私が家に帰っていないことがわかると、家の中に入り、グチャグチャな部屋の中から携帯電話を持ち出し、先生と学校に戻ろうとしたところ、近所に住む私の友人が駆けつけてくれたとのこと。私たちが帰るまでその友人宅で待っていました。

周辺の学校のほとんどが、親が迎えにくるまで学校で待機だったので、親が迎えにこなくて泊まった子どももいたとのことです。自家発電などがない学校では、暗闇の中で食べ物もなく不安だったことでしょう。一方、ろうそくの灯りで、楽しくトランプをしながら友人宅で待てた子どもたちはラッキーでした。

後で思ったのですが、子どもには、「もしも地震や台風などでママと会えない場合は、〇〇ちゃんの家に行って待たせてもらいなさい」と伝えておくべきだったと思います。

うちで留守番をしている子どもにとって、暗闇の中で食べ物もない状態で親を待つのは、とても不安だと思います。

被災ママ体験談02

保育園へのお迎え

海辺の保育園なのに高台に避難しておらずもう少しで津波に飲まれるところでした

（32歳、娘2歳）

▼状況…夫婦共働きで、娘は保育園に通っていた。地震が起きたときは勤務中。人が集まる施設で働いていたため、防災についての教育を受けており、問題なく対応することができた。非常時には妻が娘を迎えにいくことになっていた。

大きな揺れが襲ってきたとき、私は勤務中でした。施設にいた人たちを避難所に誘導し、皆さんの安全を確認すると、子どもを預けていた保育園に急ぎました。

娘の保育園は海辺の近くで、津波の心配がありました。地震後すぐに駆けつけられなかったので〝すでにどこかの避難所に行っているかもしれない〟と思いつつも、電話がつながらない状況の中では、迎えにいくことでしか安否確認もできないので、とりあえず園に向かったのでした。

園に着いて驚いたのは、子どもたちも先生たちもみんなが園庭に出て、迎えにくる両親を待っていたことです。

〝私が心配性なのかしら？〟と思ったとき、「何してるんだ！ 津波が来るぞ！ 全員、今すぐ避難するぞ！」という、保護者の怒鳴り声が聞こえました。

その声で、私も我に返り、急いで子どもたちを車に乗せ、無我夢中で高台に向かいました。先生たちも、残りの園児たちを連れて、避難しました。

この保育園が津波に飲み込まれたと聞いたのは、数日経ってからのことです。

今回のことで、みんなが避難していないから大丈夫だろうではなく、危ないと感じたらいち早く避難することが大切だと痛感しました。最終的には、自分の子どもは自分で守るしかないんです。

※あくまでも個人の体験談です。すべての保育園の対応がこの方の体験と同じだったわけではありません。

被災ママ体験談03

保育園へのお迎え

もしもあのとき、
無理して保育園に
迎えにいっていたら、
津波に飲み込まれていました

（28歳・息子5歳、娘3歳）

▼状況…2月に新居が完成し、七ヶ浜に引っ越してきたばかり。5歳の息子と3歳の娘を保育園に預けて、仕事をしているときに被災。地震が収まってからすぐに子どもを迎えにいこうとしたが、警察に止められて引き返すしかなかった。

海から逃げてきている車で、対向車線には車が溢れていました。ラジオからは津波の警告が。海の方向へ向かって車を走らせていたのは自分だけでした。

〝津波が押し寄せてきている。子どもたちは大丈夫なの!?〟

ハンドルを持つ手が震えました。途中、警察官に止められて、引き返すしかありません。その日はお迎えには行けず、保育園が子どもを守ってくれていることを祈りながら、仙台の夫の実家に泊まりました。子どものことが心配で、心配で、私も夫も眠れませんでした。

翌朝、津波の跡が生々しく残る中、どうにか保育園へたどり着くと、子どもたちが走ってきて、抱きついてきました。気が緩んだのか、子どもを抱きしめて、号泣してしまいました。

保育園は高台にあったため、無事。保育士さんが園児全員を一晩中守っていてくれたのでした。

もしも、私があのとき、警察官に止められず、保育園に無理をして走っていたら、津波と正面衝突していました。

そして、もしも保育園が園児を自宅に帰す判断をしていたとしたら……全員無事ということはなかったかもしれません。ほんの少しの判断ミスで、家族の誰かが命を落としていたかもしれない……と考えると、震えが止まらなくなります。

新居は津波に流されてしまいましたが、家族が無事だったことが、何よりもの救いであり、ありがたいと思っています。

被災ママ体験談04

妊婦で被災

臨月での被災
どうしていいかわからず、
不安定になり、出産が急に
怖いものに思えました
（30歳妊婦）

▼状況…妊娠9カ月のときに被災。当日は祖父母、母と一緒に海辺の実家にいた。家族全員間一髪で命が助かり、予定日通りに出産。震災の影響で、設備が十分ではない中での出産だったが、医師や看護師も驚くスピード安産だった。

実家は漁港の前。海の怖さをよく知る、元漁師の祖父が一緒だったので、私たちはすぐに車で、高台の小学校へ避難しました。私たちが小学校に着いたときには、実家はもう流されていたみたいです。職場が遠くにあった夫は、通勤路が通行止めになっていたため、帰宅できず、会社の駐車場で一晩過ごしたそうです。

思い出がたくさん詰まった実家はなくなってしまいましたが、お腹の子も、私も、夫も家族みんな無事でした。

ただ、当時、臨月に入っていた私の精神状態は、不安定なものでした。それに〝出産予定の病院は被災していないか？ 被災していればどこで出産するのか？〟などわからないことが多くて、出産が急に怖いものに思えてきました。

眠れなかった私と母は、明け方に自宅を見にいくことにしました。高台から見下ろした私の故郷は……。ショックで涙が止まりませんでした。実家があった場所には、大きな船がありました。戻る場所がないことを確認し、私たちは避難所に戻りました。

地震直後、何分で実家を出て、その何分後に津波が襲ったのだろうか？ と考えると、今でも恐怖に震えます。

避難所に戻ると、ちょうど夫が到着したところでした。車でまともに通れないほど道路の被害がひどく、迂回に迂回を重ね、ようやくたどり着いたそう。「途中で、たくさんのご遺体も目にした」と言いながら夫も涙を流していました。

被災ママ体験談05

妊婦で被災

緊急用電源を利用して、
薄暗い中での出産
余震が続きベッドも揺れ、
とても怖かった
（35歳妊婦）

▼状況…震災時は妊娠10カ月、震災後1週間で出産。自身の実家、夫の実家も遠いことと、実母も体調が悪く、出産の手伝いをお願いできる状態でなかったことから、産後ヘルプサービスや民間の産じょくサービスを利用して産後を迎えようと思っていたところで被災した。

夫の近くで出産したかったので、地震後も自宅で過ごしました。地震後すぐに通っている病院に確認をしたところ「産気づいたら来てください」と言われました。

「一応電気や水道は緊急用のものを使っています」と言われたのですが、不安もありました。でも、ガソリンがない中、ほかの病院にも行けず、産気づいてからすぐにその病院へ行きました。

病院は、緊急用電源を使用していて、薄暗く、水やお湯も少ししか使えない中での出産と入院生活。それは、私が思い描いていた出産とはかけ離れたものでした。余震が続き、ベッドも建物も揺れて、とても怖かったです。

ただ、ひとりで家にいることを考えれば、病院でほかの妊婦さんと励まし合うことができてよかったように思います。

夫は、出産こそ立ち会ってくれましたが、すぐに震災後の対応で沿岸部へ行かなくてはならない状況でした。退院後も、その状況が続いたので、私は、地震でグチャグチャになった部屋に子どもと2人でいなくてはなりませんでした。

夫はほとんど赤ちゃんの顔も見なかったことから、〝父親になった〟という実感に欠けているようでした。職場の仲間との団結力は強まったようですが、私や子どもへの気遣いはまったくなくなってしまいました。買い物さえもいけない状況の中、夜中の授乳や部屋の片付けをしなくてはならず、大変でした。

被災ママ体験談06

マンションで被災

11階建ての11階、激しい揺れに死を覚悟“息子だけは生きてほしい”と願いました
（25歳・息子10カ月）

▼状況…11階建ての11階で被災。免震構造のため、建物自体はひびが入る程度だったが、建物が揺れるように作られているため、吹き飛ばされるような激しい揺れを感じた。被災当時、夫は新潟に出張に行っていて、息子と2人だった。

大きな揺れを感じたとき、10カ月の息子は隣の部屋で昼寝をしていました。息子のところへ飛んでいき、すぐさま抱きかかえて〝安全なところはどこ？〟と考えた瞬間、揺れがさらに大きくなり、息子を抱いたまま、吹き飛ばされるかのように尻餅をつきました。そのままの体勢で動けず、息子を強く抱いて頭を守ることしかできませんでした。

部屋全体が激しく左右に揺れ、硬い木枠の頑丈なベッドの脚が折れて、戸を突き破りました。あらゆるものが崩れ落ち、投げ飛ばされました。重い家具が部屋をまたいで動き回り、天井の照明も左右に大きく揺れて、天井に打ちつけられてちぎれそうでした。

死を覚悟しました。

〝息子だけは生きてほしい。でも、ひとりで残すわけにもいかない。死ぬなら苦しませたくない〟と、いろいろな思いが交錯しました。

揺れが少し収まっても、またすぐに揺れに襲われました。防寒具だけは取りたいけれど、物が散乱して、何がどこにあるのかまったくわかりません。

〝とにかく逃げるしかない〟と、部屋着の軽装のまま、外に出たところで隣の人が声をかけてくれました。いったん息子を預けて、上着だけを取りに戻ってから、非常階段を下りました。

夫が新潟から戻るまで、同じマンションの2階のママの部屋にいさせてもらい、4世帯が集まって過ごしました。

被災ママ体験談07

病院で被災

病院が外部者の出入りを制限していたため、夫が娘の病室に来られませんでした

（32歳・息子3歳、娘1歳）

▼状況…入院していた1歳の長女に付き添っていた。夫と3歳の息子、義母は、お見舞いに来たところで被災。長女の治療が継続していたことと、自宅のマンションがめちゃくちゃな状態だったので、そのまま病院で避難生活を送った。

大震災の日、私たち家族は長女が入院していた病院にいました。夫と長男がお見舞いに来てくれた義母を迎えに、部屋を出ていっていたとき、大地震が。長女のいた部屋にはほかにも3人の入院患者さんがいて、お互いに声をかけ合いました。

揺れが収まるとすぐに長女の無事を確認し、携帯電話の回線がパンクする前に、無事だけでも伝えようと、急いで夫と、他県にいる実家にメールを送信しました。義母と、夫から別々に返信があり、家族全員の無事を確認することができました。

ただ、無事はわかっても、夫や息子がどこにいるかはわかりません。〝携帯電話がつながるうちに〟と、何度もメールを送信していました。突然の状況に不安な気持ちでいると、医師や看護師が見回りにきてくれました。夫と息子、義母の居場所がわかったのは、看護師が持ってきてくれたメモからです。夫たちは、ロビーにいるようでしたが、病院が外部者の出入りを制限していたため、娘の病室に来ることができなかったようです。

その日の夜、夫たちは病院のロビーで毛布などを借りて一夜を過ごし、私は長女の病室で過ごしました。病院には非常食の備えがありましたが、付添人の分までは出ませんので、長女の食べ残しをもらって空腹をしのいでいました。

翌日、夫たちは自宅に帰りましたが、ガソリン不足のため、その後、病院にはなかなか来られない状況でした。

イラストレーター アベナオミ の 被災 体験 エッセイ 『その日』

あれ?!
大地震の時って どうするんだっけ?!
教習所で 習ったはず…
えっと…えーと、
そうだ ラジオ つけるんだっけ?!
ゴゴゴ
スタジオ
大変な揺れです!!
まず身の安全を確保してください!!
テーブルの下などに…
ドドドド
たぶんNHK?
数分経ち 揺れが収まり
今のはゼッタイに 宮城県沖地震に 間違いないでしょ!! 実家大丈夫かな? みんな無事かな?
辺りが田んぼ しかなく 被害がまったく わからなかった
すごい雪!?
大津波警報が 発令されました!!
え!! 大津波!! ダンナ塩釜だよ!!
田んぼ道をぬけ 久しぶりの信号
あれ!?
ついてない!!
停電か!!
ナナメになってる
まずどうしよう 子どもの保育園? 海の近くのダンナ?
アパートに帰る? えーとまず… 家が 安全か見た方がいいか…
自宅アパートに戻り 落ちて割れた ガラスを 片付け
※キケンじゃ ないものは そのまま
ひ!
玄関の照明が落ち クツにガラスが ささっている
揺れで カギが開いた 窓を 閉めてまわり
二重ロック なのに…
ひるる~
うっそ!!
あいてる!!
無キズ
寝室の 安全を 確認
その後 息子の保育園へ
来週の 保育園って どうなるんでしょー
ライフラインが もどれば大丈夫だと 思います~
来週には 日常が もどってると 思ってる
園児はみんなコートを着て お昼寝マットの下

子どもと車で隣の多賀城市の実家へ安否確認をしに行った
古い家なので倒壊したと思ってた
ボワッ
オーイ オーイ
生きてたーっ!! よかったー
その足で夫がいる塩釜へ
水はためなさいよ ポケットラジオも持って行きなさい!!
うん ありがと
国道45号線か? 細い山側の道か? ルートを迷う
国道…混んでるかなー 信号もついてないし… 山側の道で行くかな〜
ブーン
直進 山側ルート
右折R45
この時点では津波の心配などほとんどしてなかった
え!! ナニ コレ!!
いつもはおだやかな砂押川が逆流 堤防ギリギリまで黒い水が来ていてガレキ 小船などが見えた ここでやっと本当に津波が来ていると知った
その頃すでに私が迷った45号線は津波にのまれていた
JR国府多賀城駅
上のコマで通過した橋
砂押川
500m
津波到達エリア
三陸自動車道
JR多賀城駅
仙台育英多賀城校舎
45
←仙台
→塩釜
塩釜へは行けたが
ダンナの会社への道は冠水のため封鎖・通行止め
ツナミきてまーす
キケン
キケン
え…ここ海から1キロもあるのに… ダンナの会社はもっともっと海の方だよ…
血の気ひいた
息子 当時1才7カ月

電話もメールも つながらず あきらめて 帰るコトにした
現在 おつなぎ できません
ダンナ
途中 スーパーや コンビニに 行列ができていたので 『食料がなくなる』と 思い 私も 並んで買った
30分 並んで
食べもの 2点まで
みそ
日没前に ランタンを出した
よかった~ 買って おいて~
もぐ もぐ
ゴゴゴ ゴーン
↑地鳴り
唯一の灯
水が出たので 安心し ペットボトルに 水をためる程度 夕方広報車が 断水の知らせをした らしいが私は知らなかった
まだ出る
ホッ
ジャー
夜は真っ暗で 家電の音のしない異様な静けさ たまにヘリコプターの音と 海の方からの地鳴り
ラーメン 大好き ラーメン たべたい ラーメン 朝から晩まで するっ する、 する~
暖房が使えず 寒いので19時ごろには コートのまま 布団に入る TVもパソコンも見れないので 歌って息子と過ごした
寝ながらラーメン体操♪
21時過ぎ ダンナが帰宅
高台の 小学校に 逃げたんだけど 車は 流されたかも しれない・・・
足が泥だらけだった
生きてた――!! よかったよ~!!
ねえ 明日さ~ 電車うごくかな~
↑JRに乗れるようになるまで1ヵ月以上かかった
さぁ・・・
社員旅行 無しかな~
会社から 連絡ないの?
電話も メールも つながらないも~ん
ぐら
ザー ザザザ 今日発生した・・・ ザザザ により ザザザ ザ
さむい~
あ~また ゆれてる~
ラジオの電波が悪く よく聞こえず 何が起きたのかわからない 不安な夜だった

自宅で地震にあったら

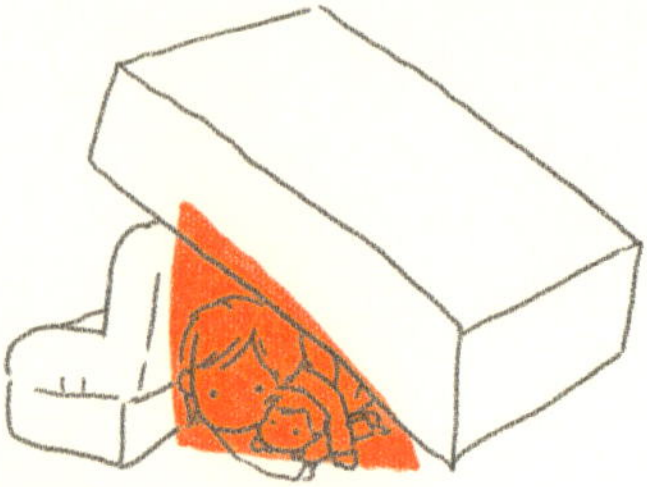

“三角スペース”へ逃げる

大きな家具や天井、柱が倒れてきた場合でも
“三角スペース”へ逃げ込めば、体を守ってくれるので、
圧死を防ぐことができます。

リビング・ベッドルームで

揺れが大きい場合、テーブルや机の下に避難した後も、
テーブルの上からの落下物や
横からの飛来物に注意しましょう。

キッチンで

まず火を消します。揺れが大きく、
消すことが難しい場合は、
火から離れて揺れが収まるのを待ちます。

お風呂で

ドアを開け、逃げ道を確保したら、
湯船のフタなどで頭を保護しながら
揺れをやり過ごします。

トイレで

ドアを開け、トイレの中で揺れが収まるのを待ちます。
外開きのドアの場合、普段から、
ドアの前にはものを置かないようにします。

外出先で地震にあったら

デパートなどにいた場合

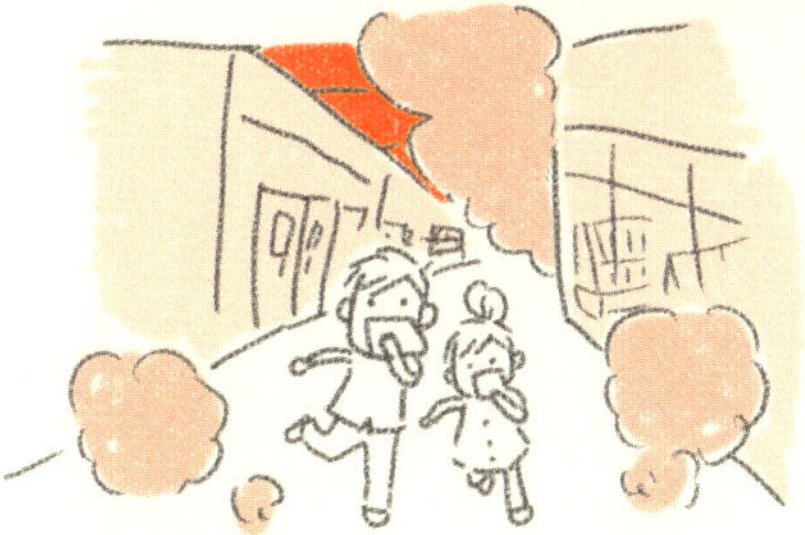

頭を手荷物などで保護しながら、
素早く商品棚、ショーウィンドウ、
看板から離れます。
避難誘導指示に従い、避難します。
地下街の場合は、
火災の煙に注意。
煙が蔓延していたら、
姿勢を低くし、ハンカチなどで
口を覆い避難しましょう。

電車の中にいた場合

揺れを感じたら、
急ブレーキに備えて、
つり革や手すりにつかまります。
停車後、揺れが収まったら、
乗務員の指示に従い
避難しましょう。

車を運転していた場合

ハザードランプを点滅させ、
ゆっくりと路肩に寄せながら、減速させます。
停車した後にはラジオをつけ、情報収集します。

市街地にいた場合

看板などの落下物や
ガラスの飛散の
心配がない場所に
移動します。

エスカレーターの上

揺れを感じたら、エスカレーターが
緊急停止したときに備えて、
ベルトにしっかりとつかまり、
将棋倒しに備えましょう。

エレベーターの中

非常時には、エレベーターの使用は
厳禁ですが、万が一、
エレベーターの中にいる際に
地震が起こったら、
すぐに全階のボタンを押し、
止まった階で下りて避難します。
エレベーターの中に閉じ込められたら、
非常ボタンを押したり、
消防に連絡したりして救助を待ちましょう。

第一次避難バッグ(一次持ち出し品)

避難するとき最初に持ち出すものが"第一次避難バック"です。
食料や水は少なくとも3日分は用意しましょう。
しかし、あまり欲ばりすぎると重量オーバーになり、避難にも支障がでるので注意を!

必須アイテム

□**現金**

現金はおつりがないことを想定して1,000円札と、公衆電話を使用するための10円硬貨を、多めに用意しましょう。

□**ヘルメット**

□**携帯ラジオ**

□**懐中電灯**

□**ホイッスル**

□**軍手**

□**ウエットティッシュ(おしりふき)**

□**衣類**

下着、上着、靴下、軍手、レインコートなど。汗をかきやすい乳幼児には着替えを多めに。

□**水**

ひとり1日2Lを目安として6L程度備えたいところですが、重すぎると避難の妨げになることもあります。最低限必要な水として、500mL×3本は備えておきましょう。

□**非常用食品**

少なくとも3日分は用意しましょう。火を通さないで食べられるものが便利です。水を注ぐだけで食べられる餅や、簡易栄養食やゼリー状の栄養補助食品などがオススメ。すぐにエネルギーになるチョコレートは非常時の頼れる食料になってくれます。

□**携帯電話(スマートフォン)充電器**

情報収集や安否確認に欠かせない携帯電話。特にスマートフォンは自分のほしい情報を的確に探せるアプリなども充実しているので、非常時にとても役立ちます。ただし、停電中にバッテリーが切れてしまうと、まったく役に立たなくなるので、予備のバッテリーを最低ひとつは備えておきましょう。

□**通帳類・証書類**

預貯金通帳、健康保険証、免許証、保険証書などのコピーを入れておきましょう。また、住所録のコピーもあると便利です。

□**ガム**

歯磨きができない環境の中、口の中をすっきりとさせることができます。また、空腹感を満たしてくれる効果もあります。

□**ビニール袋**

荷物をまとめたり、防寒具やシートとしても使えたりと、工夫次第で何役にも。

□**生活用品**

ライター(マッチ)、軍手(革手袋)、紙皿、紙コップ、ナイフ、缶切り、栓抜きなど。

□**救急薬品・常備薬**

ばんそうこうやガーゼ、包帯、三角巾、体温計、消毒薬、目薬、マスクのほか、持病のある人は常備薬も。

状況に応じて備えが必要なもの

□**眼鏡、使い捨てコンタクト**

［乳幼児のいる家庭の備え］

□**紙オムツ**

慣れない環境にお腹をくだす子どももいるので、できるだけ多めに入れておきたいもの。子どもの成長に応じてサイズが変わるので、定期的な確認が必要です。

□**ガーゼ**

乳児のお世話に何かと活躍するガーゼ。多めに用意しましょう。

□**バスタオル**

寝具やおくるみ代わりとしても役立ちます。避難所での着替えや授乳の目隠しとしても使えます。

□**離乳食**

レトルトパックやビン入りのもので現在の月齢のものと、少し先の離乳食の両方を入れておくと安心です。

□**母子手帳**

健康診断や予防接種の記録のページは日頃からコピーしておくと、安心です。

□**カイロ**

体を保温するのはもちろんのこと、離乳食やミルクを温めるのにも便利です。

□**抱っこ紐**

避難時のベビーカーは危険です。避難所ではずっと抱っこしていなくてはならないこともありますので抱っこ紐は必須です。

避難バッグは
ひとりに一個

避難バッグは
何カ所かに分散して保管

家族で防災の日を
決めて中身をチェック

避難バッグは
車のトランクにも入れておく

子どもを守る避難術

その瞬間、子どもをどう守る？

大きな揺れを感じたら、家具や照明などの危険物がないところに移動します。

子どもと向かい合わせになった状態で、子どもの頭を大人のお腹で覆うように抱きかかえて座り込みます。

このときに、忘れてはいけないのが自分自身の身を守ること。子どもを守るためには、大人が無事であることが大切です。

3・11のように、その場に立っていられないほど大きく揺れたら、別室にいる子どものところに無理をして行くのではなく、まずは自分の安全を確保します。助けにいくのは揺れが収まってからです。

そのためにも、日頃から子どもが自分で身を守れる方法を一緒に練習しておきましょう。

子どもと避難するときのチェック項目

1 ベビーカーで避難しない

災害時にはエレベーターが止まります。**「人が押し寄せる中、ベビーカーごと階段を下りるのはムリ」「ガレキや倒壊した壁が道をふさぎ、粉塵も舞っていた」**などの理由から、ベビーカーでの避難はオススメできません。万が一に備えて、ベビーカーには簡易抱っこ紐などを入れておくと安心です。

乳幼児と一緒に避難所で過ごした人の多くは、**「床に直接寝かせるわけにはいかなかった」「夜泣きが心配だった」**などの理由から、2、3

日の間、子どもを抱っこしたままの状態だったそう。乳幼児との避難には、抱っこ紐かそれに代わるものを持っていきましょう。

2 歩ける子どもでも、基本的に抱っこで

「緊急時は大人も気持ちの余裕がなく、小さな子どもの存在に気がついてもらえない」。

大地震の後には、ガラスの破片やガレキが散らばっていたり、電柱が倒れていたりします。危険がたくさんあり、小さな子どもが歩くのは、困難です。

また、人波に押されて、つないだ手が離れてしまう心配も。小さな子どもは抱っこして避難するようにしましょう。

また、小さな子どもが2人いる場合など、子どもをおんぶする必要がある際には、防災ヘルメットを被せるなど、目の届かない背中にいる子どもを危険から守る工夫が必要です。

★抱っこで避難する場合にも、子どもには靴を履かせておくことをお忘れなく！ その後、そのまま避難生活をはじめることになった場合、なかなか手に入らないもののベスト10に入るのが〝自分に合ったサイズの靴〟です。

3 はぐれたときを想定した準備を

子どもとはぐれないようにすること。これは子どもと一緒に避難する際の大原則です。ただし、万が一、子どもがひとりになってしまった場合にも、安全を確保できるような備えは重要です。

子どもを探すことになった場合、家族写真があると便利です。また、子どもに持たせる避難バッグには、連絡先や名前を書いたパーソナルカードを入れておきましょう。

被災ママ体験談　3・11から2、3日後

その日からが、ママたちにとって生きるための本当の闘いだった

自宅

水の確保に奔走した

「家族の安否確認。ラジオをつけて情報収集。
いずれ必要になると思い、
お風呂や鍋などに水を汲んでおいた（息子7歳、1歳）」。
「非常用の袋から手回し充電器やタマゴ、
ろうそくなど必要だと思われる物を出す。
卓上コンロで冷蔵庫の痛みやすいものを調理。
こたつをして湯たんぽを入れた（娘3歳）」。
「蛇口をひねると水が出たので、できる限りの水を溜めました。
これが 後々助かりました（娘3歳）」。

「自宅避難だと町役場からの情報が入りにくく、
公民館まで自転車を走らせました（息子4歳）」。

自宅避難だと情報が入らない

リビングで家族全員で寄り添って寝た

「リビングに布団を敷き詰め、
家族一緒に過ごしました。
すぐに避難できるように準備をしました（娘4歳）」。
「自宅で家にあった残り物の食材で作った夕食を食べ、
ろうそくの灯りの下で、家族５人布団を敷き、
ラジオをつけたまま過ごしました（娘0歳）」。
「ダウンを着たまま寝ていた。靴は枕元に置いて、
すぐに逃げられるようにしていた。（息子4歳）」。

幼い子に避難所生活はムリだった

「娘の月齢を考えると、
避難所での生活にはムリがあり、
普段通りの環境がよいと判断し、
自宅で過ごすことにしました。
また、実家がある県外への移動も、
この時点では情報が不足しすぎていて、
うかつに動くよりも自宅が安全でした。
娘の離乳食が作れず、ミルクに戻しました
（娘5カ月）」。

余震のたびに飛び起きた

「リュックに水や食料、貴重品などを入れて枕元に置いて、
いつでも外に逃げられるように服を着たまま寝ていた。
余震が来るたびに飛び起き、心臓がバクバクするのが
収まるまで眠れなかった（妊婦）」。

外出先・車中で

家族と連絡が取れたのは 数日後

「病院に勤務中に被災。1階が津波で水に浸かっていたため、
4日間、病院に缶詰状態だった。
家族全員に連絡が取れたのは数日後だった(娘21歳、19歳、4歳)」。

「夫の安否がわからないまま、
2日間、車の中で過ごした。
不安で、不安で仕方がなかった
(息子2歳)」。

車の中で 過ごした

「車の中で、娘を抱っこしたままの状態で
一晩過ごしました(娘5カ月)」。
「車の中で過ごしました。
アパートにある自宅の駐車場。
ガソリンも少なかったので、エンジンを切り、
車中は寒かったので、毛布などにくるまれながら
過ごしました(息子1歳)」。

「家族全員、近くの避難所の駐車場に
車を止めて滞在。車の中をフラットにして、
毛布類を持ち込んでいた。
津波が自宅近くまできたので、
心配で眠れなかった(娘3歳)」。

自宅を失った

「自宅を見にいったら、海から数百メートルのところにあったはずの家がなくなっていた。

日常の風景が何も残されていなくて、ただただ呆然と立ち尽くしてしまった(息子6歳)」。

「原発事故のため、自宅に戻れず避難を余儀なくされた(娘8歳)」。

避難所で

「避難所で雑魚寝状態だったので、
子どもが寝つかなかった（息子1歳）」。
「避難所となっていた小学校は
足の踏み場もない状態だったので、
義兄の勤務先に避難して、
義兄の家族、義母、私たち家族の
合計10名で過ごしました
（妊婦・娘8歳、5歳）」。
「電気が通らず、寒さしのぎのためと、
余震、津波の怖さのため、夜は避難所で過ごした。
家具がすべて倒れたので、片付けのため、
昼間は自宅で過ごした（息子3歳）」。

ご近所さんに助けられた

「避難所に同じマンションの方がいて、
子どもが小さいこともあり、よくしてもらった。
挨拶程度しかしていなかったのに、本当に助かりました。
今でもおつきあいがあります（息子2歳、1歳）」。

「食料が尽きた」と言われた

「避難所に行きましたが、
暖房もついていなくて寒かった。
おにぎりとペットボトルの水をいただきましたが、
『もう食料が尽きたので』と言われ、実家に向かいました
（娘10歳、2歳）」。
「3、4日後に、あちらこちらの
避難所を探しまわっていた
夫に会うまで、家族とまったく
連絡が取れなかった。
避難所は津波で周囲が
水に浸かっていたので、食料が届かず、
飲料水、オムツ、生理用ナプキン、食料など
まったく不足していました。
避難されている方に、お菓子などを
わけていただきました
（娘1歳、息子生後18日）」。

被災ママ体験談08

出産難民

見知らぬ土地への避難
あやうく出産難民になりそうに
救ってくれた病院や
親戚に感謝しています

（24歳妊婦・息子2歳）

▼状況…自宅や、出産を予定していた病院が被災。夫は震災時に職場にいなければならない仕事だったので、2歳の息子と東京の親戚のところに身を寄せていた。そのまま東京で病院を探して出産することになった。

震災直後に避難させてもらった兄夫婦には、一生感謝してもし足りないくらいお世話になりました。

避難所で生活をする人たちの姿を見て、自分たちだけが暖かく食べ物もある環境で過ごすことに罪悪感を覚えることもあったのですが、そのたびに「これもお腹の子どもを守るため、息子を守るため！」と自分に言い聞かせていました。

被害のなかった実家に行くことも考えましたが、実家は原発の避難区域圏からあまり遠くないところにあり、放射能のことが心配でした。そこで、一時的に東京の親戚にお世話になることにしたのです。とはいえ、親戚宅に長くいることはできません。子どものいない親戚のところで、息子がドタバタ走ったり、大声を出したりするのは迷惑なこと。でも、やんちゃ盛りの息子を静かにさせるのも酷なことでした。子どもにとって、元気に遊び回ることこそが仕事だというのに……。

4月になる前には、家を借り、自分たちで生活できるようにしなければと考えていました。

探さなくてはいけないのは、家だけではありません。東京で産むなら、病院も見つけなければいけないのですが、都会の病院は出産費用が高いし、入院中も、子どもが病室に入れないなどのルールもあるようで……。見知らぬ土地での出産はわからないことばかりで、不安なことも多かったです。

〝身重な体で、こんなにたくさんのことができるのか？〟考えれば考えるほど不安は膨らんだのですが、〝私が笑っていなければ、子どもたちの気持ちも沈むだろう〟と思い、ネガティブな気持ちが顔を出すたびに、ひとつずつ、モグラ叩きのように、潰していきました。

ネット検索で病院探しをはじめ、口コミを参考に、候補を絞っていきました。その後、保健所と相談をして、勧められた病院に電話をしましたが、病院の窓口の人から返されたのは、「半年先まで、出産の予約は受け付けられない」の一言でした。

再び保健所の人に相談すると「被災者だと主張するように」とアドバイスされました。もう一度電話をして、「被災者で出産難民になっている」と告げると、電話口に医師が出てきて、出産させてもらえることになりました。震災後1カ月半が経ったときのことでした。

さらに1カ月後、その病院で無事に男児を出産しました。今回は2回目の出産だったのですが、震災のためにすべての予定が狂わされてしまい……はじめて体験することも多く、戸惑いもありました。

本当のことを言えば、妊娠がわかったときからお世話になっていた病院で産みたかったです。

でも、被災して、出産難民になりそうだった私を救ってくれた病院や、親切にしてくださったたくさんの方々には、言葉にできないほど感謝しています。震災後、つらいことや大変なことも多かったのですが、人の温かさもたくさん感じました。

まだ、元通りの生活ができるわけではないのですが、皆さんに応援してもらった分も子育てを、がんばろうと思います。

被災ママ体験談09

自宅避難

幼い子がいたため、買い置きだけでの生活栄養不足で口の両端が裂けてしまいました

（31歳・息子2歳、4歳）

▼状況…2歳と4歳の子どもが2人と夫婦、避難してきた母方の祖母の5人で自宅避難生活。制限個数までしか購入できない上、子どもを連れて、雪の中で何時間も並ぶことは難しいと考え、しばらくは買い置きだけで乗り切ることに。

自宅は停電中だったため、情報収集するためのTVも見ることができません。携帯電話も使えないので不便でした。

夜、夕食を作る際には、懐中電灯で手元を照らし、買い置きしていた食べ物を使った簡単な料理を作っていました。

また、暖房も一切ない状態だったので、電気のつかないコタツの中に家族全員で潜り込み、暖をとりました。幸いガスが使えましたので、断水しなかった水を沸かし、湯たんぽや一升瓶にお湯を入れて布でくるみ、コタツの中に入れました。これは祖母のアイデア。非常時には、昔の人の〝暮らし力〟が一番です。

ほかにも家族で知恵を出し合い、昔ながらの生活風の避難生活を送っていましたが、それが悲惨な状況の中でも、心をほっこりさせてくれる、大切な家族の娯楽にもなっていました。

我が家には小さい子どもが2人いたので、買い出しのために早朝から何時間も並ぶのは難しい状態でした。買い置きは多いほうでしたが、食品はできるだけ節約して使おうと考えていました。ガスで炊いたご飯に、魚1尾を5人でわけて食べたり、ひとつの缶詰を5人でつついたり、缶詰の汁をご飯にかけて食べたりして、なんとかお腹を満たしました。

ただし、栄養バランスは最悪です。野菜ジュースを飲むなど、できるだけ野菜不足対策は、意識していたのですが、それでも気がつけば口の両端が裂けていました。

被災ママ体験談10

自宅避難

ろうそくもストーブもない状態で途方にくれていたら、近所の方が自宅に招いてくれました

（39歳・息子5歳、3歳）

▼状況…３歳と５歳の子どもと自宅で被災。車の中へ避難した。夫は福島に出張中で、震災当日は連絡が取れなかった。夫ともども実家は県外にあり、県内に親戚はいないため、頼れる人がおらず、途方にくれてしまった。

震災で、アパートの部屋はグチャグチャになりました。トイレの水が溢れ、床は水浸し。タンスは倒れ、中に入れていた洋服が雪崩を起こしたように床を埋め尽くし、食器棚からはほぼ全部の食器が飛び出していました。

こんな部屋で生活が続けられるのか不安でしたが、このくらいの被害、津波にあった人たちに比べたら〝被害〟なんて言えないのかもしれません。

震災直後に停電になり、翌日には断水です。エアコンなどすべての電化製品が使えないのに、うちには、ろうそくもなければストーブもありません。夫とも連絡が取れず、不安に思っていたところ、近所の人が声をかけてくれました。

その日は、そちらにお邪魔することになりました。布団をお借りして、眠りました。寝ている間にも何が起こるかわかりません。いざというときに、そのまま外に飛び出せるように、枕元には懐中電灯と靴を置き、私も子どもたちも洋服を着たまま横になりました。携帯電話の地震予報の通知が何度も何度も鳴りました。そのたびに懐中電灯を灯し、逃げる準備をしました。子どもたちも、子どもたちなりに、この異常な事態を理解しているようでした。通知音が聞こえるたびに、「地震?」と言って不安そうな顔をするので、「心配ないよ、大丈夫だからね」と言いながら、抱きしめていました。

次の日、夫の無事な姿を見たら、涙が出てきました。

被災ママ体験談11

避難所で過ごす

外出先で被災し、そのまま小学校での避難生活 自宅が津波に飲まれたと知ったのは数日後でした

（32歳・息子3歳、1歳）

▼状況…3歳と1歳の息子、母親と4人で、デパートへ買い物に行っているときに被災。東京に単身赴任中の夫と連絡を取った後、車が動かせないため、デパートから近くの小学校へ移動し、そのまま、数日の避難生活を余儀なくされた。

デパートで買い物を終えてエレベーターに乗り、車を止めている階へ移動中に揺れを感じました。車のある階でエレベーターを下りることができたので、その場にあった長イスの下に上の子を潜らせました。下の子は子ども用のショッピングカートに乗っていたので、カートが動かないように抱えるようにして押さえ、揺れが収まるのを待ちました。

少し時間が経ってから、お店の人が来てくれました。非常階段を案内してもらい、外へ出ることができました。「危険なので店内には入らないで」と言われましたが、店員さんも被害などの状況がわからないようでした。

15時半ごろ、東京へ単身赴任中の夫と電話がつながり、お互いの無事を確認しました。

少しずつお店の状況もわかってきて、駐車場は壊れていたり道がふさがったりしていて車を出すことは難しいとのこと。雪が降り出したので、近くの小学校へ避難することにしました。

途中、道が大きく陥没しているところがありました。路面には、窓ガラスが全部割れているお店の中からものが外に飛び出している場所などもあって、〝今までにない規模の地震だ〟と思いながら移動しました。

小学校に到着すると、お迎えを待っている小学生や、避難してきた方がたくさん集まっていました。最初は校庭にいたのですが、雪

が降ってきたので中に入りました。

体育館へ移動しました。その日は、電気がなかったこともあってあっという間に夜になった気がします。体育館の中は、本当に寒くて、凍えそうでした。毛布も布団もなく、自分たちの上着や下の子のために持ってきていたバスタオルを使ってなんとか、子どもたちを暖めるのに必死でした。

非常事態を察しているのか、子どもたちは泣くこともなく「お腹がすいた」と言うこともなく、朝がくるのをじっと待っていました。朝がくると、新聞が壁に貼り出されました。大地震M9震度7強と見たこともない数字に言葉が出ませんでした。そして行方不明者や死者数千人……体が震えました。

携帯電話はもう充電がなくなっていました。〝またあの揺れがきたら〟と思うと、子ども2人を連れて動けずにいました。

そのときはまだ、自分の家がまさか津波にあっていて、浸水しているなんて、思いもしませんでした。

避難所にいた人が「今は無理して動かずに、ここにいた方が安心だよ」と言ってくださり、避難所に残ることにしました。
2、3日経過して、発電機が来て、携帯電話の充電機を借りることができました。そこではじめて、自宅のことや家族のこと、近所や友人の状況がわかりました。義姉に迎えにきてもらい、姉の家に身を寄せました。
震災後10日くらい経ってから、やっと自宅を見にいくことができました。家の中は泥だらけで、とても住めるような状態ではありませんでした。

イラストレーター アベナオミの被災体験エッセイ 『翌日～2週間』

3月12日 朝
う〜ーん
まだ電気きてない
石油ファンヒーターもうごかず
ブル
ブル
テレビ見たいよ〜
げっ
水道止まってる!!
お風呂にためておけばよかった〜
トイレどーしよー
ダンナと息子が起床
オレ役場行って給水所とか聞いてくるよ
その間に家片付けてて
徒歩で1km半先の役場へ
いってきまーす
気をつけてー
雪でスベるからねー
はーーい
はっ
雪って水じゃん
スコップとレジ袋に雪をあつめる私
近所の人は変な目で見ていた
この頃は私もふくめこの震災がどんな大きなものなのか知らない人が多かった
TVもゲームもダメなので外で元気にあそぶ子どもたち
ザック
ザック
ママー あの人何してるの〜?
レジ袋6コ分あつめた雪はお風呂のタライに入れて水になるのを待ち
あふれた分は小さいビニール袋に入れ冷蔵庫に入れた

昼食のためにガスと勘で米を炊く
何分強火で何分弱火だっけ?
うーむ

↑冷凍庫は寒さもあって3日は凍っていた
※我が家はプロパンガスでした

その後家の中の復旧作業
どっせーー!!

ただいまー
お水もらえたよ〜
750ml
赤ちゃんがいる家だけはミルク用のお湯も配ってたから後で行く?
保温ポット持参だって
ゴリゴリ
そーだねー
プロパンもいつまでもつかわからないから節ガスしないとね…
あ、ラジオでさ仙台の区役所で充電サービスしてるって言ってたんだけど役場でやってた?
あー…全然見てなかった
もう死にそう
午後再び役場へ
歩いてる人いっぱいだねー
ガソリン売ってないからね
役場で充電サービスはしてたものの50人以上並んでいて断念…
あっテレビついてる!!
ズラー
すごいね!!
明日にするか
そしてちょうど原発のニュースが飛び込んできた
ただ今入ったニュースです!! 福島第一原子力発電所で異常な…
……
このとき津波のこと東日本太平洋側が大変な被害を受けたコトを知った
ミルク用のお湯をもらい帰った
仙台新港のコンビナート火災
わかんないな〜そんときはそんときだよ
放射能ってここまで飛んでくるかな?

震災から2週間くらいは
コンビニは新聞で目ばりして閉店
24
現金がのこり少ない…
銀行もATMも開かない
いつ再開するかわからないガソリンスタンドに車が並ぶ
ぐるぐる
テントで販売
○○スーパー
○○スーパー
ゾロ
ゾロ
ゾロ
スーパーは正午開店
整理券を求め早朝から数百人が並ぶ
肉・野菜が手に入らない日々
乳幼児連れはムリ!!
ガサガサ
あった!!
見つけた!! 肉だ!! タンパク質だ!!
スパム
カニ
やきとり
骨身にしみる〜
エブリデイぞうすい
うまっ
ありがたやありがたや
野菜が食べられず口内炎ができたり…
何か…野菜のかわりになるものは…
近くのスーパーでキャベツ1玉500円で売ってて心折れた
ゴソゴソ
あっ
粉末緑茶
玄米茶入り
これ!!
空ペットボトルに水と一緒に入れておき野菜ジュースだと思って毎日飲んだ
ぐび
ぐび
粉末青汁買っておけばよかった…
子どものはハチミツか砂糖を入れて
ちゅー

息子とダンナはアトピーっ子でかゆみとの戦い
かゆい～
かゆい～
ボリボリ
着替えは2～3日おき
震災以来おしりふきで体をふきドライシャンプーで髪を洗っていたが…
前に入院したときに使った残り
ドライシャンプー
ムースタイプ
おしりふき
もう限界だよー
かゆい～
しかし町内の通水予定は4月上旬
まだまだ先なんですよ～
プルプルプルプル
はい!!
もしもし古井戸を開けて水汲んで薪でお風呂をたきました入りにおいで!!
ありがて～!!
母
パチパチ
ガソリン節約のため道路ではみんなノロノロ運転
時速40キロ以下でもあおられない
両親 祖母 兄が古井戸からバケツリレーで入れてくれたあっつあつのお風呂
あちー
薪でたくとすんごくあっついんだ
水が通水するまで数日おきに通わせてもらいました
ふー
おまえ砂押川の津波が逆流するの見ただろ?
うん
私の父
おまえが渡った橋のあたりでもし堤防が決壊してたら…
今頃この家は土台だけになってたかもなんだ危なかったんだぞ
今まで地震が起きても『津波』とは無縁だと思い込んで生きてきた私
父の言葉はとてもショックだった
あやうく津波につっこみそうになった人
海から離れてても津波はくるんだね

震災日記　東日本大震災から4日間の記録

宮城県
サナ・27歳妊婦

3月7日の出産予定日を4日超過した3月11日、里帰りしていた石巻で被災。塩釜の病院で出産予定だったが別の病院で出産することに決める。初産だったため不安も多かったが、3月21日に無事出産。

3月11日

母と外出中、車のラジオから緊急地震速報が流れてきた。

「え!?」

その直後。

14:46　地震発生。

—やばい！ でかい！ これ、宮城県沖だ！

—宮城県沖地震がきた!!!!（実際は違った）

ちょっと揺れが収まったところで車を降りて横のフェンスにつかまるが、揺れが収まらず、とにかく、必死につかまる。

ようやく揺れが収まったので、家を目指して帰るが、信号が止まっていて全然進まない。


どうにかこうにか家に着くと、家が壊れていた。

—もう住めないかも……。

うちの横のマンホールが隆起していた。


姉から連絡がきたが、父、夫と連絡が取れない。

—ネットがつながる！ ブログに書き込もう。

ブログに夫へのメッセージを書き込み、夫が読んでくれることを願う。


食材を確保するために母と近くのコンビニへ。パンや飲み物、紙コップ、モンダミンなどを購入。

長引くと予想できずに、少量しか買わなかった。


（このときすでに石巻に津波がきていた）


雪がたくさん降っていたが、明るいうちに何とかしなくては……。

母が作業。妊婦の私は車の中で安静にしていた。

17:00　父と連絡がついた。
18:00　父が帰宅し、家の被害状況を見て「今晩は車で過ごそうか」と話す。
そんなときに隣人が様子を見にきてくれて、隣人宅にしばらくお世話になることに。

18:30　夫からメールがくる。
20:30　夫からもう一度メールがくる。

今晩は同僚と過ごすらしい。

話した直後に携帯電話の充電が切れてしまった。


21:00　庭の前に“大きな水”がきていることに気付く。

—これが津波か……。

少し高台にある病院へ逃げる。


23:00　水が引いたのを確認し、隣人宅へ戻ると、仙台へ行っていた姉が帰ってきていた。

この日はひとつの布団に4人で足を突っ込んで寝たが、余震が怖くてなかなか眠れなかった。

外は真っ暗だ。早く夜が明けてほしい。

［食事］夜：コンビニパンひとつ

3月12日

5:00　ようやく朝がきた。

車で3分。父と車で周囲の様子を見にいく。

—うそ……。

隣の地区が海になっている。

父の生家にも行けない。すぐそこなのに。

Uターンして自宅へ戻った。


とりあえず今日はうちの掃除をする。

宮城は地震が多いが、家の家具が全部倒れたのははじめてだった。


なんとか冷蔵庫に到着。

食料確保。


家の上空をヘリコプターがたくさん飛んでいる。

家の前を救急車や自衛隊の車がたくさん走っていく。

新潟からの応援の車も走っていて、被害の大きさを感じた。

「粉ミルクが不足しています！」の放送が鳴っている。

私も1缶しか買い置きがなかった。

—今生まれたらどうしよう。


17:00　寒さのため、掃除を切り上げて隣人宅へ戻る。

ふと、前使っていた携帯電話がバッグに入っていることに気づき、SIMカードを入れ替えて電源を入れてみる。

—入った！でも、圏外。ダメか……。

パソコンを立ち上げてみるも、やはり圏外。

—会社が仙台にある夫は今日、どう過ごしたんだろう。


私は15日に出産のための入院を予定していたが「これは病院に行けないのではないか」という話になる。

家族との話し合いで、出産はこっちの病院へお願いしようということに。


でも、葛藤していた。

この時点では、情報がラジオからしか入っていなかったため、ことの大きさがまだよくわかっていなかった。

来週には病院に行けるのではないかと思っていたのだ。


今夜も電気が通らない。

懐中電灯の灯りだけでは暗くて何もすることができない。

この日は自宅から布団をもう1組持ってきた。

19:30　早めの就寝。

［食事］朝：コンビニパン半分
昼：餅（ストーブで焼いた）
夜：ご飯（釜に残っていた）、カボチャの煮物

3月13日

6:30　起床。寒い朝。

近くで給水をしているという情報が入り、父が汲みにいく。

水を飲む。かなりおいしい。

昨日スーパーが開いているという情報を得たので、今日行くことにした。


8:30　家族4人でスーパーへ。

すごい列。数百人、いや千人はいたかもしれない。

来るのが遅すぎた。


15:00　ようやく店に入れた。

店内は電気がついておらず、薄暗いが、商品は量も品数もたくさんあった。

粉ミルクはなかったがオムツは買えた。


16:00　分娩依頼に病院へ行く。

院内は人でごった返していて、スタッフが大声を上げながら、走り回っている。

床には隙間なく患者が横たわっている。

こんな光景、テレビでしか見たことがない。

殺伐とした空気に泣きそうになる。


診察室に入る。

医師の話によると、市内の分娩施設はこの病院以外は被害が大きく、受け入れが難しくなっているようだ。

「市外で出産しようとしていたあなたのような患者は迷惑だ」と言われてしまう。

それでも必死でお願いしてなんとか承諾を得た。

しかし、「病院のこの混乱した状況の中で促進剤を使う余裕はないので、陣痛がきたら来院するように」

と言われる。


病院で従妹に会う。

従妹は職場に取り残され、ヘリコプターで吊り上げられて避難所へ。

お父さんは避難所、お母さんは自宅の1階が浸水したため、2階にいるとのことだった。

母の知り合いにも会う。

車で山へ逃げたが、途中車を降りて走って逃げたとのこと。

後ろの車は津波に流されたよう。

こんな話をこれから何度も聞くことになる。

21:00　就寝
生きていること、家があることに感謝。
"生まれてくる我が子を絶対に大事にするんだ"と誓う。

［食事］朝：カボチャご飯
昼：なし
夜：そうめん汁（魚、キャベツ、ニンジン、ダイコン）**、つけもの、しゅうまい、ウインナー**

3月14日

6:00　起床。

気温17度でとても暖かい。

朝から両親が給水場へ。昨日からこれで何度目かというぐらい、給水場へ行っている。

我が家は給水場まで近いが、多くの人は自転車の後ろにポリタンクを積んで向かっている。

老若男女、すごい数の自転車が走っている。

車できている人もいたが、いつガソリンが調達できるかわからない。


震災から3日経ったこの日、隣人宅の前にゴミを放置していくマナー違反が出る。

向かいの家では、自転車を盗まれたらしい。

これから犯罪が増えていきそうで、怖くなった。


姉が仕事に行くことになった。

大きなリュックサックに食べ物と水をたくさん詰めて、自転車で向かった。

16:00　家の掃除に疲れたので、両親と隣の地区へ散歩にいく。
父と私は2日前にも見た風景だったが、母は初めて見る光景に愕然としていた。

これまでの不規則な生活から、暗くなれば寝て、明るくなれば起きる生活にも、懐中電灯の灯りで談笑する生活にも慣れてきた。

［食事］朝：コンビニパン半分
昼：なし
夜：ご飯（ガスで炊く）**、そうめん汁、野菜炒め**（キャベツ、モヤシ、ベーコン）**、サラダ**（ゆでタマゴ、魚肉ソーセージ、水菜）**、つけもの、シュウマイ、ウインナー**

第二次避難バッグ（二次持ち出し品）

震災当日～3日後までは、
自分や家族の身に降りかかる状況を把握するのに
精一杯の状態にあります。
足りないものがはっきりしてくるのは、それ以降のことです。
3日目以降に必要になるものを“第二次避難バッグ（二次持ち出し品）”として備えておきましょう。

□非常用食料&水
アルファ米やレトルトのごはん、保存のきくパン、缶詰やレトルトのおかず、インスタントラーメン、切り餅、チョコレート、氷砂糖、梅干し、インスタント味噌汁、チーズ、調味料など。調理が簡単で種類も豊富な登山用の食料もオススメです。
水の備えの目安は、1日ひとり2L。

□生活用品
洗面具、スリッパ、トイレットペーパー、生理用品、ビニール袋、新聞紙、ロープ、携帯トイレ、卓上コンロ、固形燃料、ガムテープ、地図、筆記用具（マジックなど）。

□娯楽品など
子どもがいる場合は、ノートやぬいぐるみ、おもちゃなども備えておきましょう。
大人には、文庫本などがあると気がまぎれます。

水など重いものを運ぶ場合、キャリーバッグが便利。ただしガレキなどが散乱しているときは使えないこともあります。

幾通りもの使い方ができるアイテムを優先的に

汎用性が高く、ひとつで何役もこなせるアイテムは、非常時にとても役立ちます。

たとえば、キッチン用ラップは、お皿に敷けば洗わずにすみますし、包帯やガーゼの代用品として応急処置にも使えます。使い捨てカイロは、体の保温だけでなく、料理の保温やミルクの温めにも使えます。

また、ティートゥリーの精油は虫さされ薬や消毒薬、うがい薬の代用として使えるほか、生活臭の消臭や癒しの効果もあります。

また、“さらし”は包帯やロープ、オムツ、風呂敷、タオルとして代用できるのでいざというとき重宝します。避難バッグに入れておくとよいでしょう。

ライフラインが止まった！
そのとき、どうした？

水が止まった！

「トイレのタンクに溜まった水を使った」。

「普通の地震ではないと思ったので、水が出ているうちにペットボトルや鍋、お風呂などに水を溜めた」。

「雪が積もっていたので、袋に入れて、溶けた水を生活用水に使った」。

「給水用のバケツがなかったので、ダンボールにビニール袋を被せてバケツとして使った」。

「食器を洗う際に、バケツ３個に水を入れて、３段階にわけて洗った」。

「食器をラップで包み、汚さないようにした」。

「歯磨きができないので、ガムを噛んでしのいだ」。

「下着が洗えないため、生理用ナプキンを使い、できるだけショーツを清潔に保つようにした」。

冷蔵庫が使えない！

「冷蔵庫に入れていた食材を持ち寄り、ご近所さんでBBQをした。食材を無駄なく使えただけでなく、近所の人たちと交流を深めるきっかけになった。“災害時に頼れるのは、近隣の人たちだ”と改めて思った」。

「冷凍食品を冷蔵庫に入れ、保冷剤の代わりに使った。冷凍食品は解凍後、ストーブで温めて食べた」。

お風呂に入れない！

「汗拭きシートは、デオドランド効果もあり、拭いた後に肌がサラサラになるので重宝した」。

「子ども用のおしりふき用のウェットティッシュが役に立った」。

「ストーブで沸かしたお湯でタオルを濡らし、体を拭いた」。

「携帯用のビデがあると便利」。

ガスがない！

「車のトランクにたまたま入れていたキャンプ用品が役立った」。

「電気が使えるようになったら、電気ポットを使って調理していた」。

その日の夜、どう過ごした？

震災でグチャグチャでも、自宅が一番安心だった

自宅

「自宅は被害がなかったので、義理の両親と義理の妹夫婦が我が家に来て、
みんなで過ごしました」。
「どこにいても同じだったし、
ただでさえ普通ではない環境だったので、
一番落ち着く我が家で過ごしました」。
「娘の月齢を考え、避難所での生活はムリがあり、
普段通りの環境がよいと判断した。
また、実家のある県外への移動も、
この時点では情報が
不足しすぎていて、うかつに動く
よりも自宅が安全だと考えた」。
「石巻の実家に子どもと帰省中、
津波が来たので、
４階の部屋から身動きが取れなくなり、
そのままそこで過ごした」。

カーテンにくるまってみんなで眠った

避難所

「小さい子どもを連れ、どうしていいかわからなかったので、
避難所に向かう近所の人たちについていき、一緒に過ごした」。
「指定されていた避難所に行き、寝袋を敷いて、
毛布を数枚かけて家族3人で寝ました」。
「指定されていた避難所に人が溢れていたので、
急遽、避難所になった公共施設で過ごしました。
毛布がなかったので、ピアノカバーやカーテンなど、
防寒具になりそうなものを探してきて、
子どもと体をくっつけて寒さをしのぎました」。
「津波の危険がない高台に行き、車中で過ごした」。

その日は雪が降っていた
車の中で身を寄せ合った

車中

「同じマンションの人の車の中で、2歳の長男を抱いて過ごしました」。
「電気がなく、毛布をかけ、家族でギュウギュウになりながら寝ました」。

避難所に行ったが、結局は車中で過ごした

避難所→車中

「避難所は人が多く、眠ることもままならない状態でしたので、
近所の人たちと一緒に自宅のアパートの駐車場に車を止め、
その中で過ごすことにしました」。
「子どもが小さかったので、避難所の駐車場に車を止め、
そこで夫と息子3人で過ごした」。

車中→自宅

「最初はいつでも避難できるようにと車の中にいましたが、
寒さが厳しく、子どもたちと自宅に戻りました」。

移動

「夫の会社が避難用に山形のホテルを手配してくれ、2週間ほど
そこで過ごしましたが、食事や入浴ができたのはありがたかったです。
その後は心配していた両親に顔を見せるために、息子と2人で実家へ行き、
4月の終わり頃までそこにいました」。
「震災当日の夜は、実家の空き地に車を止め、車の中で寝ました。
2日目の午後に飯舘村を離れ、福島市へ移動して車の中で一晩過ごしました。
3日目からは福島市の清水学習センターに避難しました」。

親戚宅で

「夫の実家は県外にあり、私の実家はマンションなので、
水が使えなかったため、親戚の家にお世話になった」。

避難所や車中泊で気をつけたい“エコノミークラス症候群”

2011年4月20日付け産経新聞によると、避難生活を送っている被災者655人の足を調べたところ、約14%にあたる93人から静脈血栓塞栓症(エコノミークラス症候群)を示す血栓が確認されたそうです。

体を動かさない傾向にある避難生活では、血流が悪化しやすい上、十分な水分補給ができないことで、血液が濃くなることも。これらが血栓の原因になっています。

新潟県中越地震でも、車中泊していた人にこの症状が多発し、これが原因となり死亡した方もいたそうです。

本書P.70「避難所でできるストレッチ」で、エコノミークラス症候群を予防するエクササイズを紹介しています。避難中には実践してみてください。

避難のタイミング

避難するべき？タイミングと判断材料

✓ 避難指示が出たときは、指示に従い避難する

「揺れが収まると、デパートのスタッフが避難の誘導をはじめたので、その指示に従って指定された避難所に行った」。

自宅にいるときに、ラジオやテレビ、公共無線で避難指示が出た場合には、速やかに避難しましょう。また、公共の施設にいた場合には、施設のスタッフの指示が出ますので、慌てずに指示を待ちます。

✓ 安全なのは建物（自宅）の中か、外か？

「古い木造アパートだったので、オムツ替え途中の子どもをそのまま抱きかかえて、駐車場に避難した」。

一般的に建物は上階の方が安全だと言われているため、地震だからといって慌てて1階に下りてきたり、建物（自宅）の外に逃げる必要はありません。ただし、崩壊の危険があるなど、建物の状態によって外に避難する方がよい場合もあります。逆に、周囲に落下物や飛来物の危険がある場合には、建物の中に避難する方が安全です。

✓ 津波の可能性があるときには、さらなる避難を検討

「"避難所だから安全"と安心しきらずに、津波の可能性を考えてもっと早くに高台に避難するべきだった」。

3.11では一時避難所にされている場所が津波の被害に見舞われ、間一髪で難を逃れたという体験談も多数寄せられました。地震被害から身を守るために避難した場所が、津波などの二次災害時の避難場所としても最適かどうか、見極めが大切です。

✓ 状況が把握できないとき、不安を感じるときには避難所へ

「出産後はじめて遭遇した地震に、完全にパニック状態になっていたところ、隣家の人が安否の確認に来てくれた。言葉を交わすと気持ちも落ち着いた」。

不安を感じているときには、誰かと言葉を交わすだけでも気持ちが落ち着きます。不安を感じたときや、どうするべきか判断に困った場合には、避難所に行きましょう。避難所には情報が集まりやすいため、状況を把握した上で"次の行動"が考えやすくなります。

2

避難生活

被災ママ体験談　避難生活

幼い子どもを抱えて避難所で過ごすのはかなり困難 居場所のない母子も多かった

避難生活

子どもが泣くので、避難所にいることができなかった

「自宅が全壊したため
避難所へ行ったが、子どもが泣くので
ほかの方々に申し訳なくて、実家に帰るまでの数日間は
結局車の中で過ごしました（娘1歳）」。
「避難所には、子どもたちが自由に遊ぶことのできるスペースがなかった。
子どもたちが体育館内を走り回る足音にお年寄りからクレームがつくことがあり、
大人しくさせることが難しかった（娘3歳）」。
「子どもがいるとやはり、周囲にとても気を使う。避難所での生活は、
とても疲れた（息子1歳）」。

お金のことが心配になった

「お金のことは本当に心配。水を無料配布すると聞いたので
その場所まで出向き、3箱もらった。『そんなに水が必要ですか？』
と言われたけど、先がまったく見えないのだから、
お金は少しでも残しておきたかった（息子6歳）」。

子どもの
進学、転園

考えなくてはならないが、先のことがまったく見えない

「幼稚園に通う息子が友達に
『○○小学校に行くの？ それとも△△？』と聞かれたようで、
『僕はどっち？』と聞いてきた。でも、来年の4月に
どこで何をしているかはまったくわからない。（息子6歳）」。
「避難者の子どもを無料で受け入れてくれている幼稚園へ転園。
少し遠方だけど、お金はできるだけ節約したいので、
そこに入園させることにした（息子1歳）」。

避難生活の中での出産

「余震が続く中、緊急用電源を
使用している病院で出産。
自宅が無事だったので退院後は自宅に戻りました。
避難所では、ミルクがなくて泣いている赤ちゃんや
オムツや服がない赤ちゃんがいると
耳にするたびに心が痛みました（妊婦）」。

避難所を出てからの生活が想像できない

「住む所も、仕事もなくなった。
これからどうしたらいいのだろう（娘8歳）」。

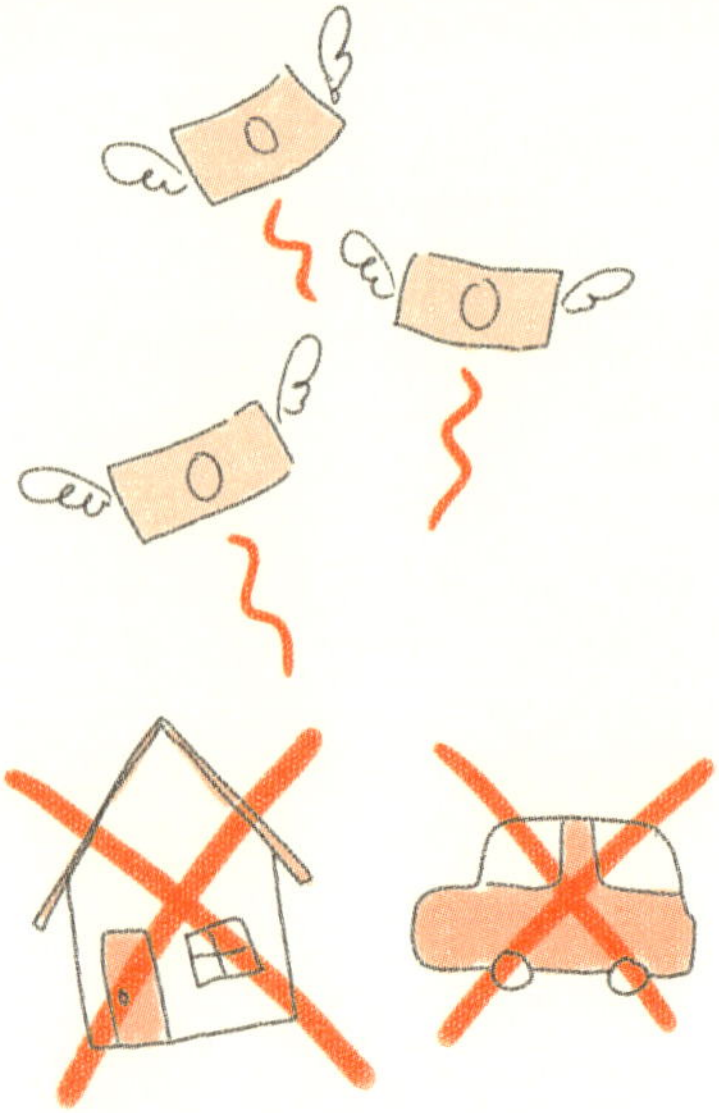

困ったこと

借金だけが残った

「家も仕事もなくなり、残ったのは5000万円の借金のみ。
でも、やっていくしかない。被災して数日してから、
その現実に気づいて呆然とした（息子1歳）」。

罹災証明がもらえない

「義捐金なども申請ベース。
避難者登録していなければ、支援情報も得られない。
青森に来た当初は、県庁と市役所に通い詰めて
やっといろいろな情報にたどり着けた（娘8歳）」。
「引っ越したばかりで、住民票を移動させる前に被災したので、
罹災証明をもらうことができませんでした（娘5歳）」。

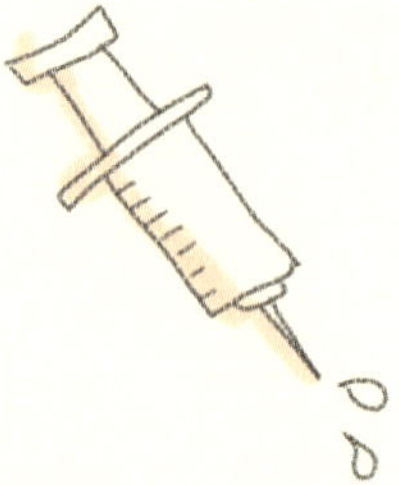

予防接種のスケジュールがわからなくなった

「予防接種のスケジュールがわからなくなった。
ただでさえややこしいのに、一時中止されていたので
何を受けて何を受けていないか混乱している（娘2歳）」。

授乳・オムツ替えが困難
子どもに“申し訳ない”と思った

「授乳中で、食料も不足していたので、常に空腹だった（息子3カ月）」。
「避難所では、大人への食事はなんとか調達できるが粉ミルクが手に入らない。
もともと母乳の出が悪かったが、震災のショックで母乳が出なくなり、
数日は白湯を与えた。つらかった（娘1カ月）」。
「乳幼児用の空間があるわけでもないので、授乳しているときは
外に出て人目につかないところで母乳をあげた（息子1歳）」。
「オムツが足りなかった。スーパーのレジ袋とティッシュで
簡易オムツを作ったが、お風呂に入れてあげることができないため、
子どものお尻がかぶれてかわいそうだった（息子8カ月）」。
※避難所によっては粉ミルクの配給があったり、
個室スペースが作られたりしたところもあります。

月経になり、本当につらかった

「避難所にいるときに生理になり、震災のショックと体調不良でつらい思いをした。

お風呂に入れず、衛生面もよくなかったので過酷な避難生活だった（娘6歳）」。

「衛生状態が悪く、膣炎になった。デリケートゾーンがかぶれて、つらかった（娘4歳）」。

助かったこと

人の優しさがありがたかった

「兄の会社の寮を避難所として開放してもらえた。
ちゃんと食事を作ってくださる人がいたので、食事の面ではとても助かった。
避難してきた人たちで協力して情報収集などをして、
必要なものを買い出しすることができた。（娘2歳）」。
「近所の方々と同じ避難所にいたので、持ってきたものを交換したり、
助け合ったりした。人って本当に温かいと感じました（息子8歳）」。

被災ママ体験談12

避難所生活

家も夫の仕事も失い、避難所を転々とする生活今後のことがまったく見えません

（26歳・息子2歳）

▼状況…自宅が津波で流されたため、3歳児のいる弟夫婦と一緒に、2歳の息子と私たち夫婦で避難所生活を送ることに。一時避難所では、震災のストレスで過敏になった息子が泣いたり騒いだりしてしまったため、県外に避難した。

震災3日後に、私たち家族と弟家族は一緒に県外に避難しました。弟夫婦には娘より少し年上の女の子がいます。震災後、息子は小さな物音にもビクビクし、私のそばを離れられなくなっていたので、よく知ったお姉ちゃんも一緒に避難できたことは息子にとってよかったと思います。

それにしても子どもたちの笑顔は最強です。子どもを守るべき大人の方が助けてもらっています。

私たちが避難した先は、避難所ですが個室があり、食事やお風呂に困らないところでした。子どもが小さいので、体育館での避難生活は、夜泣きでほかの方に迷惑をかけることもありましたので、この環境は本当にありがたかったです。

こちらに来た当初は避難者も100人ぐらいいましたが、みんな地元に戻ることになり、3月半ばには60人、4月半ばには40人になりました。この避難所には子どもたちが比較的多いようです。人見知りが強く、ママにベッタリだった息子は、避難所で知り合ったお友達と遊べるようになりました。

息子が風邪を引き、39度の熱が出たときには、〝見知らぬ土地でどうしよう〟と焦りましたが、施設の人や病院の先生のおかげで大事に至ることはありませんでした。

居心地がよく、お友達もたくさんできたのですが、4月半ばになって急に「4月末で退去してほしい」と言われました。無期限で

いられると聞いていたのに、結局は移動です。でも、私たちや弟家族はここが2つ目の避難所だからいいほうなのだと思います。この避難所で知り合った方の中には、ここが7カ所目の避難所だという人もいました。移動は本当に大変です。子どもたちも転校しなければなりません。それに、お互い助け合い、励まし合いながらの1カ月。避難所で出会った人たちはみんな家族のような存在になっていたので離れるのはやはり寂しい……。

「4月末までに避難所を出ないといけない」と言われたときは、ただでさえ見えなかった先が真っ暗になった気がしました。

そんな中、一筋の希望の光も見えました。夫の就職が決まったのです。今は避難所から通勤していますが、ここを退去になってもアパートを借りられるメドがつきました。

馴染みのない土地での生活に不安がないわけではありません。子連れ家族が過ごしやすい避難所があるということで、この土地に来たから、夫もここで仕事を探したというだけです。

この先の私たち家族がずっとこの土地で暮らしていくのかどうか、暮らしていけるのかどうか……私たち自身にも今はまだ、まったく想像がつきません。

でも、福島に嫁いだときにも、そこに友達がいたわけではありませんでした。子育て広場などで知り合ったママさんたちと交流していくことで、福島の生活に溶け込んでいったのだから、この地でがんばれないはずがない……そう思っています。

子どもたちのためにも、新しい生活をスタートさせ、がんばりたいと思います。

被災ママ体験談13

自宅避難生活

食料品も、
生活用品も手に入らず、
子どもはインフルエンザになり、
大変でした
（35歳・息子5歳、娘3歳、1歳）

▼状況…3人の子どもたちを自宅でお昼寝させようとしていた時に被災。見ていたテレビに緊急地震速報が表示されると同時に激しい揺れに襲われた。子どもたちを、コタツの中に避難させた。食器棚が倒れたが、ケガ人もなく、自宅も無事だった。

私の住んでいるエリアでは、建物に亀裂が入ったり、道路が地割れしたりしていました。もちろん、ライフラインはすべてダメ。電気は2日後に復旧しましたが、入れ替わるように水が出なくなりました。給水車が来るのを待つ毎日。ガスも製造元が津波の被害を受けたため「1カ月以上は復旧できない」と言われました。カセットコンロで料理をしていましたが、ボンベにも限りが……。

また、小さい子どもがいるので、お風呂は死活問題です。少し離れたところにある温泉を見つけて、3人をお風呂に入れました。でも、ガソリンが不足して車をひんぱんに使えず、次にいつ入ること ができるのか、わからない状態。当たり前の生活がこんなに大切なことだったなんて知りませんでした。

さらに追い打ちをかけるかのように、この状態の中、3人の子どもたちが高熱を出してしまいました。次の日にやっとの思いで開いている小児科を見つけ、受診しました。結果はインフルエンザA型。処方されたタミフルを飲んで安静にしていました。

このときに不安だったのが、食料も、生活用品も、ガソリンもなかったことです。近所のスーパーやコンビニ、薬局、ガソリンスタンドなど、お店はまったく開いていなかったので手には入りませんでした。いつになったら手に入るのかわからないので、オムツを替えるときにも、「あと1回分のおしっこは入るかな？」と、つい慎重になってしまい、ギリギリまで換えられませんでした。

被災ママ体験談14
各地を転々と

避難所や親戚宅など、
避難所を転々とし
体調不良になりました
先のことが見えず不安です
（38歳・息子11歳、7歳、4歳）

▼状況…自宅を津波に流されて、小学校の体育館へ避難。5日後、関東の親戚の家に身を寄せるも、2週間したころ「そろそろ、住む場所を探したほうがいい」と言われ、避難所へ戻る。その後仮設住宅へ移り、現在休職中。

自宅で被災し、津波警報で高台に避難した後は、自宅に戻れない状況になってしまいました。夫の会社も流されてしまったので、しばらくは避難所生活を余儀なくされ、未来のことなど考える余裕もありませんでした。

5日後、義兄の家にお世話になることにしたのですが、義兄夫婦には子どもがおらず、あまり子どもに囲まれた生活に慣れていない様子だったので、なるべく騒がないように注意していました。ただ、うちは男の子3人。大人しくしていろというほうがムリというもの……。震災のストレスもあって、子どもたちはよくケンカをし、大騒ぎになることもしばしば。

2週間も経ったころ、義兄から「このままというわけにもいかないだろうから、今後のことも考えて、住む場所を探したほうがいい」と言われました。私たちのことを考えてくれたのもあると思いますが、義兄夫婦もストレスになっていたのだと思います。

夫の会社がどうなるかもわからず、このまま関東に住むことも決められず、都内の避難所でしばらく様子をみることに。

それでなくても震災で疲れ果てているのに、移動が重なり、体調不良が続きました。

仮設住宅を申し込み、抽選に当たったため、地元へ戻ることになりましたが、夫の会社は倒産してしまい、仕事はまだ決まっていません。未来がまったく見えず、つらい日々です。

乳幼児と妊婦のMUSTケア

乳幼児のMUSTケア

十分な水分補給

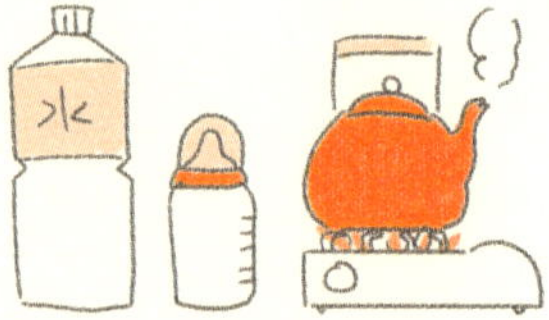

- 体から蒸発する水分量が多く、腎臓機能が未発達な乳幼児は、脱水症状を起こしやすいので気をつけましょう。
- ミルクの調整には軟水を。ミネラルの高い硬水は腎臓に負担がかかり、消化不良を起こすこともあります。
- ミルクを調整するには、除菌のために一度沸騰させたお湯を使用しましょう。

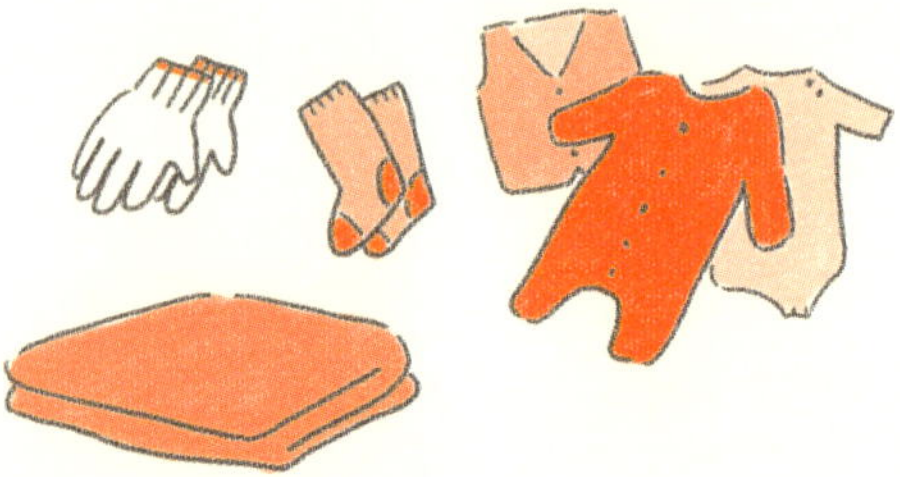

保温対策

- 外気温に影響されやすい乳幼児は、保温対策が必要です。
- 緊急用保温毛布は、体温調節機能が未熟な乳幼児には使用してはいけません。
- 手足など体温を放出しやすい体の末端部は、軍手や靴下で保護しましょう。
- 薄い洋服を何枚も重ね、空気の層を作ることで保温効果が得られます。

もし、哺乳瓶がなかったら?

震災後には、母乳が止まったり、量が少なくなったりしたという人も。
今、母乳育児をしている人も、哺乳瓶は備えておくようにしましょう。

「滅菌ガーゼにミルクをしみこませて哺乳をさせた。ただし、必要量飲ませるには時間がかかった」。

「哺乳瓶はあったが消毒液がなかったので、結局、紙コップを使った」。

「スプーンを使って、少しずつ飲ませた」。

もし、離乳食がなかったら？

厚生労働省が平成19年3月に発行した「授乳・離乳の支援ガイド」によると、離乳食の段階に応じた災害時の対応は下記の通りです。

ただし、成人用の食事は塩分や脂肪分が多くなりがちであるので注意しましょう。

妊婦のMUSTケア

- つわりの際、嘔吐も気兼ねなくでき、安静が保てる場所を確保する。
- 避難所の集団生活で休みづらい場合、一時的にでも個室を借りるなどして休息を心がける。
- 足をあげて休むなど、エコノミークラス症候群（血栓症※）を予防する。
- できるだけ塩分の少ない食事や繊維質を摂るよう心がける。

※長時間同じ姿勢を取り続けることによって、静脈中に血のかたまりができる症状。胸やけや発熱、呼吸困難、最悪の場合には死に至ることもある。

周囲に妊婦がいた場合

妊娠後期は、足元がおぼつかない人も多くなります。
避難生活をする場の段差をできるだけなくしましょう。
同じ理由から、和式トイレを使うのも至難の業。
洋式の仮設トイレや一時休憩室の設置希望など、
妊婦自身が言い出しにくいことは、
周囲が提案してあげられるとよいですね。

子どものメンタルケア

被災地のママから教えてもらった、小さな心をケアするアイデア。
そのアイデアの中には、支援に来ていた
元被災者のママから教えてもらったものもあり……。
震災は起こって欲しくないものですが、
〝万が一〟のときの子どもをケアする知恵は、
ママからママへしっかりと受け継いでいきたいものです。

ケアの方法

避難先に好きなおもちゃを持っていく

避難グッズとしての優先順位が
低いように思えるおもちゃですが、
慣れ親しんだおもちゃは、
慣れない環境の中で
"日常"を感じることができる
重要なアイテムになります。
避難時の状況にもよりますが、
可能であれば、
子どものお気に入りの
おもちゃをひとつ
持っていくようにしましょう。

上の子どもほど気にかけるようにする

子どもは子どもなりに大人の気持ちを理解して対応しようとします。
「がんばっている姿を見せて、大人(親)を安心させよう」と、
がまんする子もいます。
特に上の子どもほど、親に心配をかけないようにする傾向があります。
無理して元気に振る舞い、がんばっているように見える子がいたら、
一層気にかけ、抱きしめてあげるようにしましょう。

生活のリズムはできるだけ整える

被災してからしばらくの間、
不規則な生活を強いられるのは仕方のないことです。
しかし、不規則な生活は"非日常であること"を強調してしまい、
心を不安定にしてしまいます。
子どもたちの生活リズムはできるだけ整えてあげましょう。
規則正しい生活ができるようになれば、
子どもの心は自然と安定してきます。

子どもが怖がっているときの対応

抱きしめながら安心できる言葉をかける

子どもが怖がっていたら、しっかりと抱きしめてあげましょう。
そして、まずは子どもの感じた“怖い”という
気持ちに寄り添うことが大切です。
共感から安心が生まれます。その上で、
「もう、大丈夫よ」「一緒にいるからね」というような、
その子が安心できる言葉をかけてあげましょう。

話に耳を傾け、共感する

子どもが何か話したい素振りを見せたら、必ず耳を傾けてあげてください。
話を聞いてもらっているうちに、子どもは自身で気持ちの整理ができるものです。
そのためアドバイスをしたり、気持ちを喚起させたりする必要はありません。
ただ、子どもに寄り添い、うなずきながら、聞いてあげてください。

キッズマッサージ

“手当て”という言葉があるように、手を当てるという行為はケアの基本です。
人の肌の温もりは大人だけでなく子どもにとっても心地よいもの。
体の緊張がほぐれると、心の緊張もほぐれていきます。
マッサージの手順がわからなくても大丈夫。
そっとさすったり、なでたりしてあげたりするだけでも、
ストレスが緩和され、安心できます。

子どものケアの大原則は、受け止め、見守ることです。

震災後に子どもが見せる変化（ストレス反応）の大きさは、子どもが災害をどのように受け止めたかによるものです。大災害に直面してもさほど変化のない子もいれば、直接的な被害を受けていないのにテレビで見た風景に強いショックを受ける子どももいます。

子どもが見せる変化は、抑うつ傾向、揺れに対する過剰反応、震災そのものへの不安、頭痛や腹痛、落ち込み、皮膚のかゆみなどさまざまです。親としては心配になる症状ですが、これらはすべて、異常な事態における正常な反応です。必要以上に心配せず、子どもを見守りましょう。

ほとんどの症状は、適切な関わりによって次第に収まっていきますが、否定的な対応をすることで、悪化してしまうこともあります。「もう少しがんばって」「もっと強くなろうね」など、子どもが「自分が弱いからダメなんだ」と感じてしまうような言葉は避けるようにしましょう。

そして、子どもの行動や言動をそのまま受け止めるように心がけてください。

また、心の回復の速度は子どもによってまちまちです。ほかの子に比べて自分の子どもの反応が過剰に思えても、あるがままの姿を受け入れてあげてください。

ただし、毎日の生活に支障が出るほどの強い症状や問題が生じるときや反応があまりに長期にわたるときは専門家に相談する必要があります。

アロマセラピーによる心身のケア

香りの存在は重要

「避難所の生活臭が鼻につき、ストレスになった」。「入浴ができない中で、自分の体臭が気になった」。

こんなとき、精油があるととても便利。精油の香りは香水などに比べてソフトなので、周りの人に不快な思いをさせる心配が少ないようです。

また、精油には殺菌作用やストレス軽減作用があるので、避難所での生活を楽にしてくれます。

震災後、被災地のアロマセラピーでのケアを行っていた香港在住のアロマセラピストYUMIKA先生に、精油を使ったセルフケアについて教えていただきました。

アロマセラピーの精油

インフルエンザの予防に

ティートゥリーをマスクの内側に1滴しみこませたり、
コップの水に1滴垂らしてうがいしたりすると、
殺菌作用があり、ウィルスを予防。
また、口内もスッキリ。
余ったら、布やティッシュに含ませて、
食器や手、体を拭くのに使えます。

気持ちが落ち込んでいるとき

柑橘系の精油
グレープフルーツやベルガモット・
マンダリン・タンジェリンがおすすめ。
また、気持ちが集中できず、
地に足がついていないように
感じるときには、
ウッド系のローズウッドや
シダウッドがオススメです。

ぐっすり眠れないとき

ラベンダーを枕に数滴落としたり、
マッサージオイルで胸の辺りを
マッサージしたりしてみてください。

くたびれてしまっていて、やる気が出ないとき

クラリセイジやベンゾイン・ヤロウ・ユーカリ・
ペパーミントの精油がおすすめ。

使い方

足湯でも、
体の循環がよくなります。
桶にぬるま湯を入れ、
3〜5滴垂らして
お使いください。

アロマポットや加湿器で香りを楽しんだり、
外出時にはティッシュやハンカチに
2、3滴落としたりしてみるのも効果的です。

YUMIKA先生監修の 便利グッズ

いつでもどこでもアロママッサージ 持ち歩きに便利な精油配合の馬油スティック 「MAMA-PLUG With Moisture BAYU Balm」

リップやフェイスケア、ボディケアとして、全身に使えるスグレモノ。
精油配合で、マッサージオイルとしてもお使いいただけます。
スティックから中身を3〜5mmほど繰り出し、
保湿をしたい場所やマッサージしたい場所に直接塗ってのばして使います。
化粧水や乳液・化粧下地代わりにさっとひと塗りすれば、
抜群の保湿力で肌を保護してくれます。
普段から、携帯しておくと便利です！

香りは3タイプ
ホルモンバランスの乱れを感じたとき
Woman's Balance ROSE
リラックスしたいとき・お休み前に
Relax LAVENDER
リフレッシュしたいとき・気持ちを切り替えたいとき
Refresh PEPPERMINT

2,800円（税別）
製造元：日本食品
購入サイト：
http://www.plugged-shop.com

携帯しやすく
化粧水代わりに
使えるので
便利!!

監修：YUMIKA YAMAMOTO
アロマセラピスト・リフレクソロジスト・レイキヒーラー・ヨガインストラクター。
現在、香港在住16年。プライベートサロンベネッセンスにて活動中。
ISPA アロマセラピー国際ホリスティックセラピスト、IIR 国際リフレクソロジスト、
全米ヨガアライアンス認定 アシュタンガヨガ・ハタヨガ・マタニティヨガ・産後ヨガ
benessence　(URL)http://www.benessence.com/

肩こりやエコノミー症候群を予防する 避難所でできるストレッチ

「避難所でのストレスと、寒い中でじっとしていたために、
今までにないほどひどい肩こりに悩まされました」。
「座ったままでいたので、足のむくみがひどかった」。
「寒い中、お風呂にも入れなかったので体が縮こまって
全身の疲労感がひどかった」。

Let's ストレッチ!

肩こりを予防するストレッチ

①両手の指先を両肩に置き、ワキを軽く開きます。
②肩甲骨が動くように、前から後ろへ腕ごとゆっくりと回しましょう。

足のむくみを予防するストレッチ

①あぐらをかくようにして座り、
両足の裏同士をくっつけます。
②両ヒザの内側に両手を置き、呼吸をしながら
手のひらでゆっくりとヒザを押します。
③頭を下げながら、手のひらの位置を少しずつずらし、
ヒザから股関節までを揉みほぐしましょう。

エコノミー症候群を予防するストレッチ

①仰向けになって両手両足を軽く広げます。
②ヒザを軽く曲げます。
③足を曲げたまま太ももの裏を抱えるようにして、
胸の方へ引き寄せましょう。
④ゆっくりとヒザを曲げ伸ばします。
気持ちよく伸びを感じる範囲で15回繰り返します。

知っていると便利なツボ

腎兪《じんゆ》
便秘に効くツボ
背骨の下のへこみにあるツボ。軽く押しながらほぐします。

中脘《ちゅうかん》
冷え性や食欲不振に効くツボ
便秘に効くツボ
へそとみぞおちの中間にあるツボ。円を描くようにやさしくなでます。

天枢《てんすう》
便秘に効くツボ
へその真横、指の幅2本分のところにあるツボ。上下にさするようにマッサージします。

監修：専心良治
http://www.senshinryochi.com/

ママの知恵袋
防災レシピ

「非常食で工夫してなんとかしのいだ」。

震災後、避難所には多くの物資が届いたが、
「柑橘類が大量に届いたが、せっかく届けてもらったのに消費できなかった」
「同じものがたくさん届いたので消費する前に腐らせてしまった」と
いうようなことも起こっています。
また、幼い子どもの場合、〝非常時〟ということを理解できず、
自分が欲しいものをねだってグズる場合もあります。
「米がたくさん届いたが、子どもがパンを食べたがるのでパンを手作りした」
「非常食として乾パンを備蓄していたが、子どもが食べてくれなかった」など、
避難食も〝想定外〟が多かったようです。
震災後にママたちが、支援物資や非常食で作った、レシピを紹介します。
日頃から非常食レシピについて考えておきましょう。

避難所に大量に届いたグレープフルーツで作った酢の物

「避難所に、たくさんのグレープフルーツが届きました。『レモンの代わりに使えるよ』と言うおばあちゃんからの一言で、酢の物に変身しました」。

材料（4人分）

キュウリ……2本
乾燥ワカメ……20g
グレープフルーツ酢
- グレープフルーツのしぼり汁……大さじ2
- 砂糖……小さじ3
- しょう油……大さじ1/2
- 塩……少々

①—乾燥ワカメを水につけて戻し、熱湯でさっとゆでる。水気をきり、ざく切りにする。
②—キュウリは薄く輪切りにし、軽く塩を振って5分ほど待ってから水気をきる。
③—①と②をボウルに入れて、グレープフルーツ酢を1/3かけ、軽く混ぜてしぼる。
④—残りのグレープフルーツ酢を、③全体に回しかける。

やわらかくて食べやすい余り物を使った簡単な“カンタン含め煮”

「地震の後、野菜が高くて買い物に行くのも
大変だったとき、孫に作って喜ばれました。
やわらかくて食べやすいので
離乳食として使えます」。

材料（4人分）

凍み大根……5、6個
（切干大根など、乾燥野菜なら何でも）
凍り豆腐……3個
余っている野菜
（ニンジン、ゴボウ、シイタケ、タケノコなど）
シーチキン（焼き鮭ほぐしでもOK）
煮汁
- だし汁…カップ3
- 砂糖…大さじ4
- みりん…大さじ1と1/2
- しょう油…大さじ1と1/2
- 塩…小さじ1/2

①―凍み大根は、あらかじめ、ぬるま湯に20分ぐらい浸しておく。
②―煮汁を鍋に入れて煮立ったら中火にし、乾燥したままの凍り豆腐を入れる。①とほぐしたシーチキンを入れる。
③―中火で10～15分煮含める。

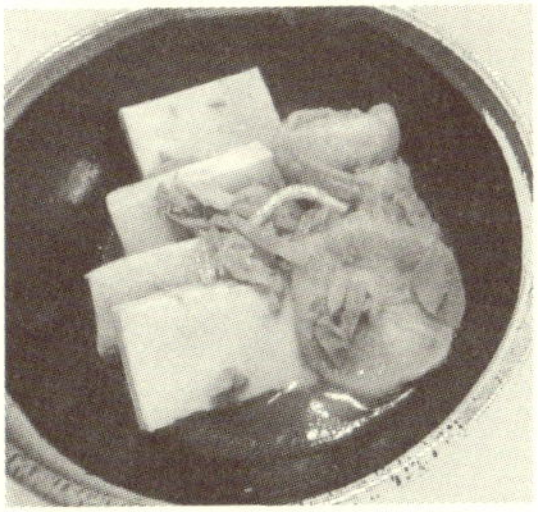

水がなくても作れる餅とチーズを使って、なんでも“モチモチピザ”

「震災後しばらくは水が不足。
保存食の乾麺は、茹で水をたくさん使うので
使えなかった。餅がたくさんあったので、
ピザにすることにした」。

材料（4人分）

乾燥餅……8個
とろけるチーズ、粉チーズチーズなど……適量
具……適量
（缶詰の焼き鳥、ホールコーン、シーチキン、ソーセージなど、そのときある食材でOK）
ケチャップ……適量

①―餅は水から茹で、沸騰しかけたところで、弱火にして3～5分ゆでる。
②―材料を適当な大きさに切る。
③―ゆであがった餅を麺棒でのばす。
④―アルミホイルに③を乗せて、ケチャップを塗り、具をトッピングして、チーズをかける。
⑤―トースターまたはホットプレートで焼く。

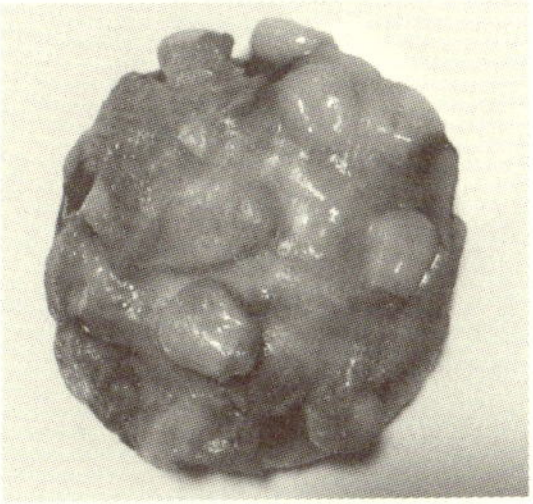

子育ては難しい

被災ママ体験談　仮設住宅生活

仮設住宅での日々も子どもを抱えたママには過酷なものだった

プライバシーがない

「壁が薄くて、咳払いやトイレを流す音などが聞こえる。

まったくプライバシーがない（娘2歳）」。

「爪を切る音まで聞こえる（息子5歳、3歳）」。

「音を遮断したくて壁側に棚などを置いているが、
ほとんど効果がない（娘4歳）」。

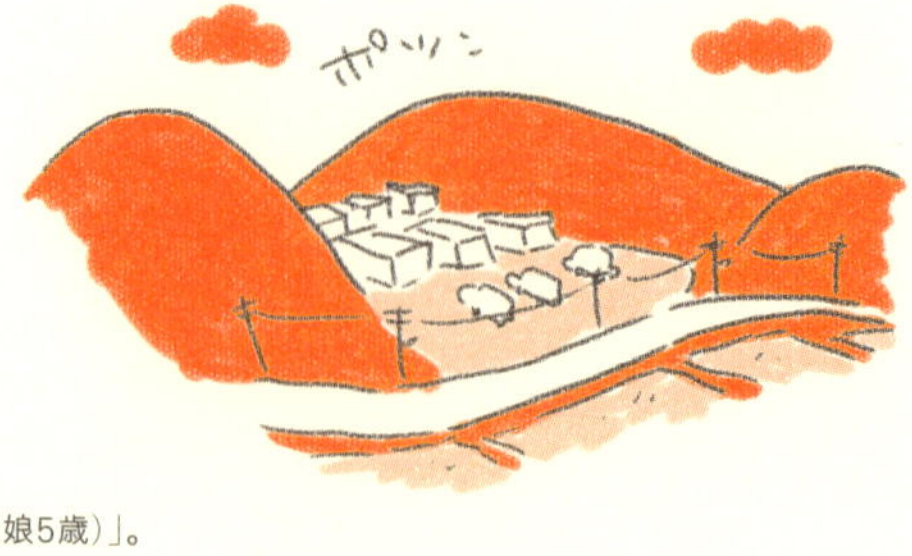

子どもの遊び場がない

「抽選で当たった遠方に来たため、
子どもをどこで遊ばせてよいのかわからない（娘5歳）」。
「子どもは学校の友人とも離れてしまい、
なかなか外へ遊びにいきたがらなくなった（息子7歳）」。

「うるさい！静かにさせて！」と怒鳴られるので、ビクビクしている

「ちょっとでも子どもが泣いたり、騒いだりすると
『子どもがうるさい。もっと静かにできないの？』と注意される。
子どもに注意するのもかわいそうで、早く仮設を出たい（息子4歳）」。
「なるべく子どもが騒がないようにパズルや絵本、プラモデルなどを
用意したが限界がある。子どもにもストレスが溜まってしまい、
お隣さんに『静かにして！』と言われるたびに、息子がわざと足音を立てたり、
泣いたりするようになってしまった（息子6歳）」。

「まったく知らない人たちの中で子育てをするのは
本当にストレスが溜まります。
震災後からずっと続いている緊張感、
そろそろ限界かも（息子7歳、2歳）」。
「ストレスが溜まり、夫婦喧嘩が増えてしまった。
夫も疲れてる、わかっているのに……（娘1歳）」。

疲れた……

困ったこと

支援に差がある

「仮設住宅に入れた人から生活に最低限必要な
家電（クーラー、洗濯機、冷蔵庫、炊飯器、電子レンジ、
湯沸かしポット）の配布を受けていった。
早くもらった人は、高額な（多機能の）家電が
割り当てられていたが、順番が遅くなればなるほど、
家電の質が下がっていく。そのため、本来、
より多くの支援が必要な身動きが取りづらい人よりも、
フットワークよく動ける人の方が支援を受けているように
思えてならない。
支援の不公平感があるのは否めない
（妊婦・娘8歳、5歳）」。

息が詰まる

「『万が一のときにみんな一緒に
逃げられるように』と、夫、夫の両親、
息子2人、娘ひとりの7人で
6畳間と4畳半の二間の
仮設住宅で生活をはじめたが、
4畳半に二段ベッドを置き、
残りのわずかな空間で
子どもたちを勉強させたり
遊ばせたりしているが、
さすがに狭すぎる
（息子8歳、2歳、娘10歳）」。
「夫と義母と娘で2DKに。
これまで同居していなかったため、
個室のない突然の同居生活で
気を使う（娘5歳）」。

水周りが不便

「仮設住宅のお風呂のお湯は、
溜めてる側から冷めていく
（息子4歳、3歳）」。
「水道が凍って、水が出ない日がある
（娘8歳）」。

学校、スーパー、職場、すべてが遠い

「せっかく新しい職場も決まったが、
仮設が市街地から離れているので遠い。
娘の学校も遠く、通学路が暗いので送り迎えしている。
生活するには不便（娘8歳）」。
「車を購入せざるを得なくなった。自宅が全壊して
借金があるのに、とても不安（息子7歳）」。

必要なもの

子育て世代の仮設住宅がほしい

「赤ちゃんが泣いたり、育ち盛りの子どもが部屋を大声で走り回ったり、
ジャンプしたりするのは仕方がない。
子育て世代の仮設住宅を作ってほしい（息子6歳、娘4歳）」。
「以前はママ友にいろんなことを相談することができたが、
今は誰にも相談できない。仮設住宅に住むママのコミュニティが
あればいいのにと思う（息子2歳）」。

「8年一緒に住んだ犬は家族も同然だが、仮設住宅には連れていけない。
今は支援団体に預かってもらっている（娘12歳、息子6歳）」。

ペットと一緒に住みたい

被災ママ体験談15

仮設住宅生活

水周り別の二世帯住宅から、3LDKでの完全同居へ 嫁姑問題が勃発しそうな我が家です

（32歳・息子6歳、娘3歳）

▼状況…両親と暮らすための二世帯住宅を建ててわずか半年。自宅は津波に飲まれ、夫と義父母、2人の子どもと一緒に、避難所生活を余儀なくされる。仮設住宅へ移り住んだが、狭い中での両親との同居がつらい。

自宅が津波に飲まれてしまいました。二世帯住宅を建ててわずか半年のことです。私たちのもとには借金だけが残り、呆然としたましばらくは避難所で過ごし、仮設住宅へ……。3DKでの同居生活がはじまりました。

これまでも同居はしていたものの、水周りも玄関も別々の二世帯住宅だったため、干渉されることもなく義母とも仲良くやっていましたが、勝手が違います。

仮設住宅の壁は薄いので、子どもたちの声が響かないかどうか、周囲の人たちに気を使うのですが、うちの中にいる義父母にも同じように気を使います。

また、洗濯物も悩みの種です。舅は夫の父親ではありますが、やっぱり他人。お互いの下着類を一緒に洗濯したくない……時折、義母が勝手に、私たち家族のものまで洗濯してしまうので、嫌で仕方ありませんが、言い出しづらくて……。最近はお風呂に入るときに自分の下着は手洗いして、寝室として使っている部屋の隅に、見えないようにして干していました。

義母は義母で、どうしても私の行動が目につくようで、子育てのことにちょこちょこ口を出すようになりました。完全な同居は私には無理。でも、借金が残ってしまった私たちにまた二世帯住宅を建てる余力はありません。どうしても〝震災さえなかったら……〟と思ってしまうのです。

被災ママ体験談16

仮設住宅生活

子連れ仮設住宅は大変
ちょっと子どもが騒げば怒鳴られ、
ささいなことで文句を言われて
疲れています。
（31歳・息子4歳、2歳）

▼状況…自宅が津波に流されたため、2歳、4歳の男の子と夫婦で避難所生活を経て、仮設住宅へ。以前は仕事をしていたが、震災のため失業し、保育園もなくなってしまったため、自宅で子どもと過ごしている。

避難所生活のときにも思いましたが、仮設住宅には、いろいろな人がいるものです。震災がなくても、そういう人たちは一定数いるのだとは思うのですが……。

私が今いる仮設住宅では、1カ月おきに班長を交代しています。我が家に順番が回ってくるタイミングで、私の次に担当する人から「順番を代わってほしい」と頼まれたので、代わったことがあったのですが、まったく関係のない年配の女性が「班長をしないって、一体どういうこと？」と、怒鳴り込みにきました。

事情を話したものの、納得はしない様子。不自由な生活にイライラしているのはわかりますが、それは私も同じこと……八つ当たりなどしないでほしいです。

その女性は、いつもささいなことで文句を言いにくるのですが、なんだか自分が見張られているように感じて、結構ストレスです。

かわいそうなのは子どもたち。ちょっとでも騒げば、やっかい者扱いされてしまうので、できるだけ静かに過ごすように言っています。でも遊びは子どもの仕事なのに……。

息子たちは、私が文句を言われた現場を見て、小さいながらもなんとなく状況を理解してくれているようです。仮設住宅に、子どもたちが思いっきり遊べる場所があればと思います。ついでにイライラしている人がスッキリできるようなスペースも作ってほしい。本当に、疲れてしまいました。

仮設住宅生活を快適に

掲示版で情報交換

支援情報やイベントなどのほかに
“リフォーム術”を貼り出し、
快適に暮らすアイデアの交換を！

トートバッグやエコバッグを活用して整理

家具を調達するまでは、エコバッグや
トートバッグで洋服の整理をしていました。

玄関にプランターを置き、花を育てる

花があると心が和むだけでなく、
通りすがりの人との会話につながることも。

通路にイスを並べる

空いているスペースにイスやテーブルを
並べるなどして“居場所”を作ると、
自然と人が集まり交流が生まれます。

グリーンカーテンで暑さ対策

ゴーヤやアサガオなどで、
グリーンカーテンを作ると暑さ対策に。

遊びを通じた、異世代交流を！

震災後、おもちゃと遊びの支援活動を続けているのが日本グッド・トイ委員会です。理事長の多田千尋さんがこの活動を通して痛感したのが「人には何か“出番”が必要だ」ということだったそう。

お手玉作りを手伝ってくれたおばあさんがイキイキとした表情で針仕事をこなし、お手玉の技も披露してくれたり、木のおもちゃを見たおじいさんが「これはヒノキだね。ヒノキは人々の心を高揚させる作用があるんだよ」と、木育講座をはじめてくれたりしたそうです。

仮設生活最大の課題は「孤立化を防ぐこと」だそう。高齢者の出番にもつながるような子どもたちの遊び場が作れるとよいですね。

COLUMN

新しい土地になじめないと感じたら……？

女性を支援する施設へ行こう！①

避難し新しい土地での生活をはじめた方は少なくありません。
避難所、仮設住宅、疎開など、生活形態は異なっても、共通する悩みは
“行き場がない”“情報がない”“交流がない”。
そんなときに足を運びたいのが、避難先の地域にある女性や子育てを支援している施設です。
被災地域外での避難生活を送る女性と子どもの支援を続けている、
川崎市男女共同参画センター（すくらむ21）の事務局長、脇本靖子さんにお話を聞きました。

神奈川県川崎市にある避難所でも、避難生活が長期化する中、女性に配慮した支援が必要になっていました。

そこで、6月に女性が生活に必要な物資を募集し、配布することにしました。市内だけではなく、県外からもたくさんの女性たちの想いが届き、25日間で集まった物資は4,771点。これらの物資を避難所で配布すると同時に、少しでも心の負担を軽減できるようにと女性だけで話せる「悩み相談＆健康相談」をボランティアの方と協力して実施しました。

プライバシーが守られにくく気疲れしていても、避難先ということで我慢や遠慮があり、困ったことを言い出せない女性被災者の方が多数でした。また、震災当時のつらい記憶について、誰かに聞いてほしいという要望もありました。

このような女性たちの声をきめ細やかに拾い、つむいでいくことが大事で、女性の視点が置き去りにならない復興支援、女性だからということでケアの役割を押し付けられたり、暴力が増加したりしないように、これからの地域での防災につなげていくことも非常に大切だと感じています。

（川崎市男女共同参画センター〈すくらむ21〉）

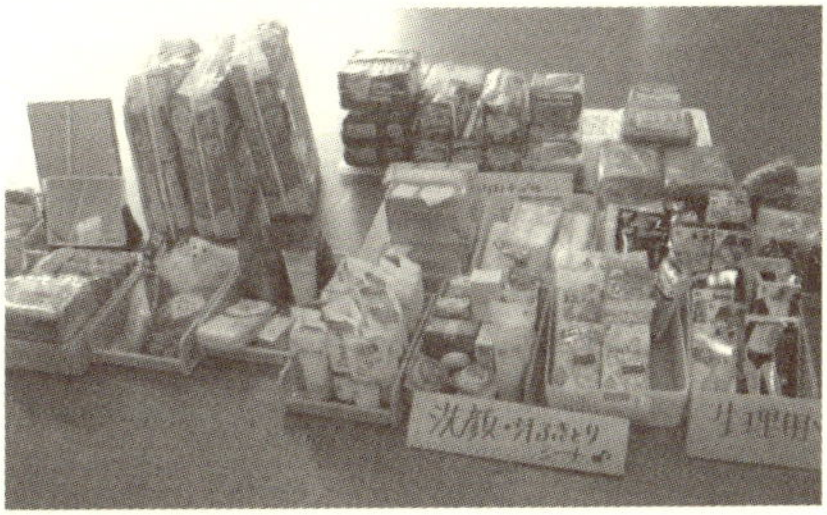

物資配布時の様子です。
女性に必要なコスメや生理用ナプキンなども多く集まり、
配布することができました。

被災ママ体験談 疎開生活

未来が見えない中、今、子どもを守るために故郷を離れたママたち

決意

家族と絶縁しても子どもを守ると決めた

「自主避難を決めたとき、義理の両親が大反対。
『ここは安全なのに家族を捨てるのか……』と責められたが、
どうしても子どもを守りたかった。夫も私と同じ考えだったので、
結局夫の両親とは絶縁して故郷を出た。後悔はしていないが、
義理の両親も孫をかわいがってくれていたので、寂しさもある。
原発への怒りも感じている。いつかまた家族が元通りになりますように
（息子4歳、娘1歳）」。

避難は私のわがままじゃない！

「夫の両親から猛反対され、『嫁のわがままだ』と言われた。
夫は詰め寄られてしどろもどろになってしまい、精神的に参ったが、
子どものために折れるわけにはいかなかった。
夫には、子どもを守るために闘ってほしいと思った。
結局、私と子どもは関東へ避難し、夫とは離婚も視野に入れて
話し合いを続けている（息子4歳、娘1歳）」。

「避難を検討していたら、夫から『何を馬鹿なことを言っている、
ネットに振り回されすぎだ』と言われ、大ゲンカに。
夫の理解を得られないまま家を出た。
現在別居中だが、今後どうなるかまったくわからない
（娘7歳、3歳）」。

ただ、子どもを守りたいだけ

「原発から60キロ圏内のママたちの中でも、放射能に関する考え方に違いがある。
私は、できるだけ子どもを放射能から守りたいと思ったので、
外出中にはマスクを着用させ、食べ物には気を使っていたが、
『気にする必要なんかないよ』『もう安全よ』と言う人もいて、
どうしていいのかわからなくなり、結局疎開することにした（娘2歳）」。
「ただ、子どもを守りたいだけ。それを周囲から『神経質すぎる』と言われたとき、
地元を離れると決めた（息子4歳、2歳）」。

ぶつかった問題

仕事
が見つからない

「資格もなく、40歳を過ぎた自分が新しい仕事に就くのは
とても大変（娘10歳、8歳）」。
「自宅は津波に流され、祖母を亡くし、避難所を転々として
関東に越してきた。心も体も疲れ果てていて、
とても新しい仕事をしようという気持ちになれない。
借金があるから働かなくてはならないのに……（娘4歳）」。

「夫が夢だった自分のヘアサロンをオープンさせた矢先、津波で失った。
熊本に避難してきたが、仕事がなかなか見つからず、
夫は美容室で雇ってもらい、私はアルバイトでなんとか食いつないでいる感じ。
夢も希望も失って、借金を背負い、見知らぬ土地での再出発はかなり厳しいし、
つらい。（娘8歳）」。

この先、どうなるんだろう

「この先、どうなるんだろう。
考えただけで、不安で涙が出てくる（娘1歳）」。
「借り上げ住宅が2年間のみ。
2年後、またどこかの土地に引っ越すのか、
それとも更新ができるのか、わからないことが多く、
不安（妊婦・息子2歳）」。

残してきた家族のことが心配

「高齢の祖母は『地元に残りたい』と言い張ってきかないので、
いったん祖母だけを残して避難した。
心配で仕方がない（娘8歳、息子4歳）」。
「地元に残った祖父が地元の人たちに
『なぜ、おまえのところの娘たちは逃げたのか』と、非難されている。
申し訳ないと思うが、地元には戻ろうと思わない（息子6歳、2歳）」。

子どもの進学が考えられない

「とりあえず、被災者を受け入れている山形県へ避難してきたが、
山形県に永住するかどうか決めきれていないので、
子どもの進学のことなどが検討できない（息子6歳）」。
「仲のよい友達と離れ離れになり、新しい土地になじめず、
娘が引きこもりがちに（娘10歳）」。

夫と離れ離れ

「夫は福島で仕事をしているので、
母子だけで関東へ避難中。
夫は仕事を続けるべきか、
退職して関東へ引っ越すべきか悩んでいるが、
今仕事が見つかるかどうか不安は尽きない（娘3歳）」。
「津波で自宅を失い、関東へ疎開。
夫が仕事で地元に残ってしまったので、
心細い。（娘2歳）」。

車のナンバーを変えたい

「周囲の目が気になるので、福島のナンバープレートを変えたいが、
そのためには一度福島に戻って住民票を移さなくてはならない。
避難するとき、周囲の反対を押し切ってきたので、
戻るのが億劫でもある（息子4歳）」。
「ショッピングセンターの駐車場に車を止めたら、
『あ、福島……』と言われ、ジロジロ見られた。
居場所がない気がした。
ナンバーを変えたい（娘2歳）」。

被災ママ体験談17

疎開生活

夫抜きで、夫の実家へ疎開
今まで深いつき合いのない
義理の家族とのすれ違いが
大きなストレスでした
（29歳妊婦・息子3歳）

▼状況…妊娠9カ月のときに被災。出産難民になりかけて、夫の実家がある九州に避難した。夫は仕事で福島に戻ったため、3歳の息子と2人で、夫の実家にお世話になることに。義理の家族とのすれ違いからストレスの多い日々だった。

私の住んでいた町は、地震被害と原発事故による風評被害もあり、ゴーストタウン化してしまいました。

出産を予定していた産婦人科も、断水や放射能による屋内待機などの問題があり、診察ができない状況です。病院からも「県外の病院に行ってください」と言われ、仕方なく、夫の実家がある九州に家族全員で避難しました。

こんな状態なので、夫の会社もしばらくお休みになるかと思っていたのですが、4月から再開との連絡があり、夫は福島へ戻ることになりました。そして、私と息子だけが残ることに……。これまで、年に数回顔を合わせるだけの義父母との共同生活はストレスフルなものでした。

まずは朝。朝食がとても遅い上に、家族の過去の自慢話がはじまります。ご飯も食べ終わり、外に遊びにいきたい息子はグズグズ言いはじめますが、そんなことに気がついてくれる人はいません。お世話になっている嫁の立場では、何度も繰り返される自慢話にも笑顔で相づちを打つしかなく……。

九州で産む病院も決まり、妊婦検診でも順調だと言われたので、〝とにかく今はいろいろ考えずに、出産だけに集中しよう〟と努力はしていたのですが、それに比べて義母は、本当に言いたい放題です。

原発のニュースが流れるたびに福島批判がはじまります。福島は私の大切な故郷だというのに。

「原発事故が起きたのは福島のせいだとでも言いたいんですか?」という言葉を、何度も飲み込みました。

また、もともと地声が大きい義父は、何かにつけて家族に怒鳴ります。怒鳴られた経験がほとんどない私は、怒鳴り声を聞くと、心臓がバクバクしてしまいます。こんな生活、胎教にいいわけがありませんよね。

もちろん、衣食住に困らないことは本当にありがたいこと。家族の命が助かっただけでも感謝しなくてはならないと思うのですが、この避難生活に、私の〝個〟はありません。だから、早くここから出たい……と願う日々。

ここでの生活で私にとって唯一リラックスできるのは、息子を連れての散歩の時間だけ。散歩と言っても、自宅では話せない愚痴を、電話で夫にこぼすのが目的だったんですけどね。

でも、それも1週間くらいで止めました。最初は親身になって愚痴を聞いてくれているのかと思っていましたが、最近では夫もおもしろくないのだなということがわかってきました。夫に愚痴ったところで、結局、私が悪者になって終わるだけ。何も改善されないのですから、話すだけムダです。

そんな中、私の我慢がいつしか生理的な反応になってきました。

簡単に言うと、彼らのすべてが嫌なんです。

予定日が近くなると、義母は勝手に私のお腹をさすって「まだ出てこないの?」と言ってきます。大きなストレスになっていましたし、お腹の子どもに話しかけられるのも、まるでセクハラを受けている気分になっていました。

※2011年5月に無事に出産されたそうです。

被災後の移動

妊娠中の方から10歳までの子どもを持つご家庭にアンケートしたところ、震災2カ月以降は自宅で過ごすという人が40％もいました。小さい子どものいる家庭や出産を控えた人は、長期にわたる避難生活は困難と考える人が多いようです。

また、実家や親戚宅での避難は、震災という大きなストレスを抱えている状態では、ささいな出来事が大きなトラブルになってしまうこともあるようです。

お互いにいざというときにどのような形でお世話になるのか、事前に決めておく方がよいかもしれません。

今回のアンケートでは、「とにかく自宅で」と考えている人や、周り回って「やっぱり自宅がよい」という人が多かったのですが、自宅での避難生活で一番困ったことは、食料品、生活用品の不足です。3・11の体験談を読んで、自宅避難を検討している人は、常に保存食や日用品の買い置きを多めにしておきましょう。

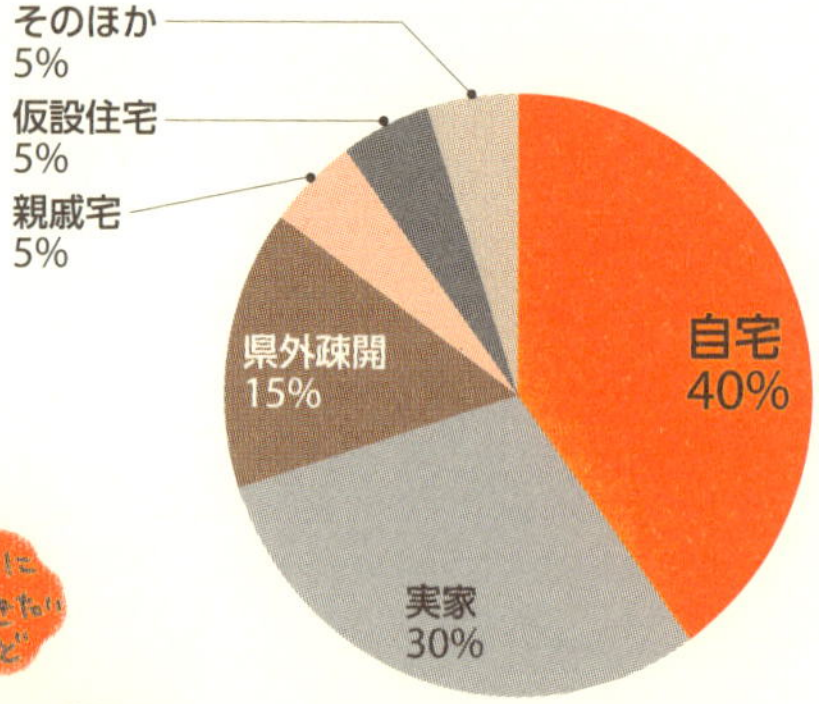

実家：自分の実家と夫の実家
県外疎開：県外にある実家は含まない
そのほか：避難所、同じエリア内での転居、海外移住など

自宅派 やっぱり自宅が一番落ち着く

「自宅アパートは半壊だったが、大家さんが近くのアパートを用意してくれたので、そこで過ごした」。

「うちの被害が一番少なかったので、祖父母も合流して一緒に過ごしました」。

「幼稚園が始まるタイミングで自宅に戻った」。

「自宅マンションは半壊していたが、生活は普通にできたので」。

「家の中はグチャグチャだったが、いつか片付けなければならないので、自宅に住みながら片付けていった」。

「不便なことが多くても、一番気を使わずに生活できるのが自宅なので」。

自宅&実家
「ライフラインは途絶していたが、とりあえず建物が無事だったので自宅で過ごした。ただ、日中は6カ月の赤ちゃんと2人で過ごすのが不安だったので、夫の実家に通っていた」。

実家 余震が怖くて県外の実家へ

「実家のライフラインの復旧が早かったので、お世話になった」。

「余震が怖かったので、県外の実家に避難した」。

「原発の状況がわからなかったので、念のため県外の実家に避難していた」。

「会社の帰宅命令に従い、県外の実家に」。

疎開派 放射能が心配で、とどまれない

「実家も夫の実家も住める状態で、それぞれからお誘いを受けたが、お互いに被災したばかりで、気持ちの余裕がないことはわかっていたので遠慮して、県外に疎開した」。

「放射能が心配で、子どものためにも県外に出たかった」。

「ネットで避難者支援をしている県と、そこが行っている支援制度を調べて、疎開した」。

「子どもが小さかったので、普通の避難所はムリだと思った。子どもが過ごしやすい避難先をネットで探した」。

県の借り上げ制度を利用
「子どもが小さいため仮設住宅だと不便で、また、改めて住む場所を探すのは手間がかかると思ったので、県の借り上げ制度を利用している」。

避難所 「自治体指定の二次避難先で過ごした」。

転居 「4月に出産することがわかっていたので、避難所や仮設住宅は難しいと震災直後から考えていました。空いているアパートは少なかったのですが、ギリギリ入居させてもらいました」。

3・11後、子どもに生じた変化

3・11は子どもたちにどのような影響を与えたのでしょうか？　被災地の子どもたちの現状を知ることは、防災の第1歩です。そして、もし可能ならば、何らかの形で子どもたちの支援に参加してみてください。被災地の子どもたちの力になれたことは、そのまま〝万が一〟の備えにもなるはずです。

恐怖心が消えない

「洗濯機の音にもびくびくするようになった」。

「緊急地震速報がなると怖がる」。

「震災から数日も経つと、大人は震度3くらいの地震には慣れてしまう。でも、子どもたちはそうはいかないらしい。大人に抱きついて地震が落ち着いても離れない」。

不安が消えない

「ママの姿が見えないと慌てるようになった」。

「かすかな音で目が覚めてしまうようになった」。

「ひとりでトイレに行けなくなった」。

退行行動

「おっぱいをやめられなくなった」。

「指しゃぶりするようになった」。

「夜泣きをするようになった」。

遊びの変化

「地震ごっこをするようになった」。

「積み木で家を作っては倒す遊びをするようになった」。

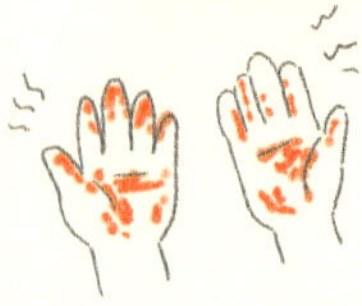

体調不良や湿疹など

「突然、倒れた」。

「鼻血やじんましんなどの症状が出るようになった」。

「過呼吸やじんましんなどの症状が出た」。

「お風呂に入れないこともあり、湿疹に悩まされた」。

「インフルエンザで体調が悪いときに地震が起こり、震災後の食べ物で下痢が続いた」。

情緒不安定

「乱暴になった」。

「落ち着きがなくなった」。

「地震の2、3日後に子どもが情緒不安定になった」。

「子どもが少しナーバスになった」。

震災翌日、多くの子どもがけいれんを起こして倒れた!?

電話がつながらず、救急車も呼べない病院では検査もできず、パニックになりました
（26歳・娘1歳）

地震があった翌日、1歳半の子どもを連れて車で近所のスーパーに来ていました。スーパーはどこも被害が大きくて、店に入ることができず、駐車場に商品を出して決まったものだけ売ってもらえる、という状態でした。

それでも、ものすごい行列ができていて、寒さの中、外で2時間近く待っていました。子どもは自宅に置いていきたかったのですが、夫は震災後すぐに仕事に戻らなくてはならず、仕方なく、服をたくさん着せて連れていきました。

私の周りで普通に遊んでいたと思ったら、娘が突然バタッと道路に倒れ込みました。そのままけいれんし、目が白眼になっています。私は何が何だかわからず、携帯電話を取り出しましたが、地震後電池が切れていて使えません。近くにいた人がお店に走ってくれましたが、お店の電話も停電のため使えません。私は子どもを抱えてただ震えるだけで、そんな中、周りにいた人が“緊急車両”のステッカーが貼られた車両を止め、「子どもが倒れた！ 救急車を呼んでください！」と言ってくれました。

しかし、症状を伝えるために電話を受け取ると、電波が悪くなって切れてしまいました。

娘はまったく息をしていないように見え、パニックになった私は、娘を抱きかかえて車に乗せ、そこから10キロほどある救急病院へ急ぎました。震災後、どこの病院も開いていないことはラジオで聞いていたので、ガソリンがないのが気になりましたが、とにかく病院まで連れていかなければと思いました。

たどり着いた急患センターは人でごったがえしていました。娘の症状は治まっていたので、看護師さんから「このまま自宅に帰ってください」と、言われました。念のためにと脳外科の緊急連絡先を教えてくれたものの、家に帰されてしまいました。

不安なまま自宅に戻り、いったん娘を寝かしつけました。ところが、夜中にまた、娘がけいれんを起こしました。恐ろしくなり、そのまま連絡もしないで、また、急患センターへ向かいました。熱もないのに1日に2回のけいれんを起こしたということで、そのまま入院となりました。

原因は寒さとストレス。後から聞いたのですが、震災翌日に同じ症状で倒れた子どもがたくさんいたそうです。

その後、娘は退院。落ち着いてきた1週間後に脳波の検査もして異常はありませんでした。小さい子どもは、何もわかっていないように見えて、体中でものすごいストレスと緊張を抱えていたんだな、と思いました。

3・11後、ママが心の中で闘っているもの

大変なときこそ笑顔でがんばろうとする3・11後のママたち。
でも、本当は心の中でいろいろな気持ちと闘っています。
〝想定外〟と連呼される3・11。心が受け止め、
乗り切らなければいけないことの大きさもまた
〝想定外〟のものでした。

自責の念

「子どものころから一緒だった大親友が遺体で見つかった。
地震のとき、近くにいたのに。子どものお迎えにいくとき、
無理にでも彼女の手を引いて一緒に避難すればよかった」。
「おっぱいが出なくなった。こんなときこそ必要なものなのに」。
「3.11の後、息子の様子が変わってしまったが、
そんな息子に何の力にもなってあげられない自分は無力だと思う」。
「実家に避難していたが、高齢の母にいろいろな面で
負担をかけてしまった。自分自身のストレスが溜まっていたので
どうしようもなかった」。

喪失感

「娘の母子手帳も出生時の写真も、
お宮参りの写真も洋服もすべて失った」。
「新築の家と、新しい家具や家電。新しくはじまるはずだった
生活も思い出の品もみんな流され、残ったのはローンだけ」。
「半年経ってからようやく父の遺体が見つかった。
そこは実家からは考えられないほど遠いところだった。
覚悟はできていたはずなのに、
どこかで期待していたことに気がついた」。

ストレス

「“この土地には長くは住みたくないな”という
気持ちになっている。原発もあるし、まだ、何があるかわからない。
正直、心配し続けることがストレス。
育児についてはじめて本気で悩んだことがこんなことなんて悔しい」。
「うれしい気持ちはもちろんだが、悲しい気持ちもない。
自分の感情がなくなってしまったように思う」。
「涙もろくなった」。

不公平感

「メディアに登場する地域には支援の手が届きやすい。
たくさんの支援は本当にありがたいが、
不平等だと思っている人々、地域があることも知ってほしい」。
「被災地に住んでいたものの、引っ越したばかりで
住民票を移す前に被災したので、罹災証明書をもらえなかった。
私だって被災したのに」。

不安

「外出が怖くて、少し距離のあるところに行けるようになるまで2カ月かかった。
育児と家事、夫の仕事のサポートでがんばりすぎていたんだと思う。
生活が落ち着いてきてから疲れがどっと出た気がする」。
「明日からまた、夫が夜勤の日々。仕方ないけど、夜、パパがいないのはかなり不安。
余震があるたびに子どもと私はビクビクしている」。
「3.11後、休業状態が続いている。生活面の不安も重なって胃が痛くなった」。

難しい感情のコントロール

「間一髪、津波から逃れたが、
高台から見た光景が忘れられない。
あの光景を思い出すと、気力がなくなってしまう。
避難先の義理の両親はきっと私のことを
なまけものだと思っている気がして、
何かしなくてはと思ってはいるのだけど……」。
「震災後、変わったことがありすぎて、
自分自身が機能しなくなっている気がする」。
「突然、地震の光景がフラッシュバックして、
パニックになってしまう」。

被災ママ体験談18

結婚

震災後、遠距離恋愛中の彼から思いがけないプロポーズをされました 幸せになりたいです

（34歳・娘10歳、8歳）

▼状況…8歳と10歳を子育て中のシングルマザー。耐震対策をしていたので、自宅の被害はそう大きくなかったが、震災被害を受けた勤務先が廃業し、失業したため、就職活動をしている。子ども公認の彼と遠距離恋愛中。

仕事も子育ても自分なりに全力でがんばっていたのですが、想定外の震災失業者になってしまいました。家族全員が無事で、自宅も被害が小さかったので負けてはいられません。

余震も続き、収入が途絶えてしまうなど、不安なことも多いのですが、うれしいこともありました。遠距離恋愛中の彼からプロポーズをされたのです。

3・11のときに、県外にいた彼は津波ですべてが流されていく様子を見て、いてもたってもいられなくなったと言います。

連絡が取れなかったため、彼や彼の家族は、私たち母子のことをとても心配してくれたそう。「お義母さんが泣いてしまった」と聞いて、申し訳ないやらうれしいやらで複雑な心境でした。

やっと連絡が取れたときに、彼から「大切なものが何かわかった」と言われましたが、まさかあれがプロポーズだったなんて。

彼のことは好きだし、信頼もしていますが、何しろ一度失敗しているので……。このタイミングでなければ、私も2度目の結婚を考えることはなかったかもしれません。

まさか自分が被災者になるなんて思いませんでしたが、その〝まさか〟が起こってしまった今、人生、何があるかわからないのなら、失敗を恐れずに自分の信じた道を歩みたい……。

子どもたちには、私の気持ちをしっかりと伝えました。2人とも新しい家族が増えることを喜んでくれました。

被災ママ体験談19

離婚の危機

震災で夫の様子が変わり、口を利かなくなりました「離婚したい」の一点張りで、どうしたらいいのかわかりません
（27歳・娘3歳、1歳）

▼状況…夫は、石巻港の近くの倉庫で仕事をしていたときに被災。「地震のときに津波から逃げるのがとても恐ろしかった」と言い、当日は2日間職場に泊まり込んでいた。職場から帰ってきてからは、ほとんど口を利かなくなった。

震災から1カ月が過ぎたころに「家族の顔を見たくない。会いたくないから残業しているんだ」と、言われました。

それまでは、子どもたちの面倒もよく見てくれていましたし、震災による影響で通勤手段がなく、かなり疲労も溜まってるせいだと、あまり気にしなかったのですが、ささいなケンカから急に離婚話になりました。でも子どももいるので、離婚だけは避けたいと思い、自分自身の悪いところを見つめ直し、関係修復に努めました。

夫は食事もとらず、自宅にいるときは黙って部屋にこもってしまい、話し合いにもなりません。

「いったいどうしたいの?」と、聞くと夫は、「お前は何も悪くない。俺は、ひとりで静かに過ごしたい。病院にも通うつもりだ」と、言いました。お金のことやこれからのことなど、必要な話し合いすらろくにしてくれず、ただつらそうにしている夫を見て、私自身も関係修復は無理だと感じました。

震災で失ったものは本当に多く、先のことを考えると、何もないところから一からはじめる者にとって言葉に表せないくらい不安なこと。そして、一番つらかったのは、なぜ大変なのか、周りの理解を得られなかったことです。

でも、長年築いてきたものがなくなった絶望感に打ちひしがれるばかりではなく〝これから新しいものを作り上げていくのだ〟と考えれば、可能性は無限大。私は今、そう思って、がんばっています。

被災ママ体験談20

出産

震災の4日後、
停電したままの病院で出産
沐浴もできませんでしたが、
無事でよかったです
（28歳・娘4歳、1歳）

▼状況…出産予定日の1週間前に被災。新築の自宅が津波に流されたため、4歳と1歳の娘と一緒に夫の実家に避難。家族とはいえ、長期にわたって迷惑をかけるのは申し訳ないと、避難中の生活費を支払っていた。

もともと私の出産予定日は3月18日でした。ところが3・11の前日、腹部に急激な痛みを感じ、病院に行きました。前駆陣痛でした。このまま出産に入るのかと思いましたが、不思議と痛みは治まり、いったん自宅に戻ることになりました。

その日の夜からは体調もよく、義母からのお誘いもあり、夫の実家におじゃましていました。いただいたベビー服を眺めているときに、大きな揺れが。このとき自宅にいなかったのは本当にラッキーでした。助けてくれる人もおらず、自宅に私ひとりでいたらと思うと……想像することすら恐怖です。

震災で自宅が流されてしまったため、そのまま夫の実家で過ごすことになりました。予定日が刻々と近づいてくるにも関わらず、余震は落ち着く気配がありません。揺れを感じるたびに、「もし、今生まれたらどうしよう……」と不安でした。

陣痛がはじまったのは、震災後4日経ってからのことでした。出産した病院は被害の大きかったエリアにあり、電気がないという状況でしたから、エアコンは稼働しておらず、外と変わらない寒さでした。生まれてきた子を守るため、2人で毛布にくるまり、添い寝する形で暖をとりました。

断水していたので、赤ちゃんを着替えさせてあげることも沐浴してあげることもできず、かわいそうでしたが、あの大震災の中、赤ちゃんを子宮の中で守ることができて、本当によかったと思います。

被災ママ体験談21

転職

“娘のために生きよう”
震災後、仕事を辞め、
子ども服のネットショップを
オープンしました
（35歳・息子7歳、娘2歳）

▼状況…1歳の娘と7歳の息子の2児の母。津波の被害にあった長女が入院した。2011年8月、子どもとの時間を大切にできる仕事として、ネットショップ（Ruban de fe'ee：http://www.ryuuka-g.com/）の運営を開始。

3・11の震災後、当時1歳だった娘が津波の被害にあい、しばらく入院していました。生死をさまよったときは「私の命とひきかえに娘の命を救ってください！」と、毎日祈っていました。

退院したものの、娘の笑顔がすぐに戻ってきたわけではありません。どうやら精神的な病気にかかってしまったようでした。私にベッタリとくっついて離れません。

地震が来るたびに「地震、怖い！」とか、「お水、怖い！」と、パニックになってしまいます。人に会うこともできないので、病院に連れていくのも大変でした。

私は、〝娘のために生きよう！〟と心に決め、ずっと働いていた秘書の仕事もキッパリと辞めたのでした。これからは子どもたち2人のために生きたいと思っています。

震災後、私自身の体調も優れません。微熱が続き、めまいや倦怠感、動悸、発汗などの症状が出ていました。原因がわからず、いろんな病院を回り、ようやくバセドウ病だと判明しました。

震災でいろいろなことが変わってしまいました。子どもたちの将来のために、また一から貯金しなければと思うのですが、私が仕事を辞めてしまったので、夫の収入だけでは貯金するのがなかなか厳しくて……。そこで、〝時間のあるときにできる仕事は何かな？〟と考えて、子ども服のネットショップをオープンすることにしました。軌道に乗るまでには時間がかかると思いますが、がんばります。

被災ママ体験談22

流産

ストレスとムリが原因で
やっと授かった命を
流産しましたが、
不思議と冷静な自分がいました
（30歳妊婦）

▼状況…妊娠4カ月で職場であるショップで勤務中に被災。自宅も実家も流されたが、お腹の子どもを含め、家族は全員無事だった。震災の数日後が検診日だったが、避難生活の慌ただしさの中、受診しそびれてしまう。その後、流産。

何が起こったか理解できないほど大きな揺れに、人々は一斉に逃げ出し、私も必死に高台に避難しました。

その途中、住んでいた家があった辺りのエリアが津波に襲われていく様を目の当たりにしました。すべて飲み込んでいく津波……。涙が止まらず、大声をあげて泣き崩れました。

すべてが終わったようにも思えましたが、私のお腹には子どもがいます。〝産まれてくる子どものためにもがんばらなくては〟と、気持ちを奮い立たせました。〝一刻も早く人生を立て直したい〟と思った私は、職場が再開されると同時に仕事をはじめました。

数日してから、少量の出血があり、受診しました。お腹の子どもが育っていないとのことでした。この時点では赤ちゃんの命にかすかな灯火が残っていたようですが、医師には「覚悟はしておいてください」と言われました。

やっと授かった、とっても大切な命。なのに、なぜか、私は冷静でした。お腹の子のためにがんばって復興したいと思う一方で、住み慣れた街がガレキの山となり、住む場所も失った状態の中で〝ここでは、安心して子育てできないのではないか……〟という恐れの方が大きかったのです。

今まで感じたことのない痛みを感じた後、私は流産しました。こんな形でお別れになるなんて思わなかったけど、この子にはいつか必ず会えるような気がします。

※その後、妊娠されたそうです。

3

親子防災

3.11を知ることから はじめる防災

「以前、地震を体験していたため、
いろいろ備えていてよかった」。

「(3.11の)2日前に
三陸沖地震が起きていたため、
倒れそうな物は片付けていたので
無事だったものもあるし、
心構えもできていた」。

「何が手に入り、何が手に入らないのか?
過去の震災に学んでおけばよかった。
調べてみると、ほとんど同じ状況だったと
いうことが後でわかった」。

〝過去の震災と同じことが起こり、同じ備えが必要だった〟というのは、復興支援プロジェクト「つながる.com」で出会った被災地の方々から何度も聞いた言葉です。

災害時の被害を最小限にするためには、そのための備えが大切ですが、きちんと準備ができていた人は少なかったようです。備えをさまたげる最大の壁は、〝まさか自分が被災することはないだろう〟という気持ちだと言います。

小さな子どものいる家庭の防災術は、子育て法のひとつとして、ママからママへ語り継いでいけたらと思います。

このとおりに
準備して
おけば
よかった…
防災マニュアル

「震災後、半年経って中越地震後に作られた
防災マニュアルを読み返してみたら、
自分の身に起こったことがすべてそこに書かれていました。
先に知っておけば、被害や不安を小さくできたと思います。
みなさんも私たちの体験から防災について考えてみてくださいね」。

3・11直後とその後

現地で支援活動を続けている、『社会福祉法人豊心会』相談支援専門員の藤原伸哉さんが振り返る、必要な支援から見た、3・11直後とその後の生活状況について。「震災前の生活を取り戻せるまでには、長い年月が必要。震災直後だけでなく、復興までの道のりを念頭にいれた防災計画が大切です」。

震災後1カ月
震災避難初期

※避難所などでの生活の場合

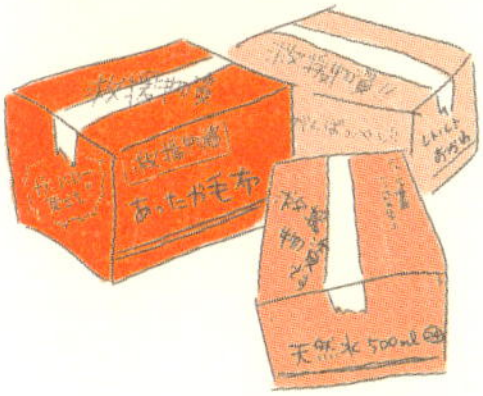

この時期は、とにかく何でも困っていた。中でも物的支援が必要だった。

震災後3カ月〜半年
震災避難中期

避難所から仮設住宅へ生活の場が少しずつ移行。徐々に情報が行き届き、物的支援も量から質が求められるように変化する。

震災後半年〜9カ月
震災避難後期

仮設住宅への入居に目処が経つ。物的支援から精神的支援へ、ニーズが変化する。仮設入居を待つ不満と、仮設入居後の不安が出てくる時期。季節の変わり目によるニーズの変化。

震災後9カ月以降
仮設生活初期

仮設入居後の不安と不満、これから先の不安が出てくる。孤立化が問題となり、アルコール依存症、PTSD、DVなどの問題が起きても表面化しにくくなる。

地震発生時からライフライン復旧まで

地震の後、ライフライン復旧までにどのぐらいかかるのか……。宮城県多賀城市のママの声をもとにしてまとめてみました。住んでいる地域や被害状況によっても復旧までの時間は異なりますが、震災から3週間は不自由な生活が続いたところが多かったようです。

3月11日

・14：46　大地震発生
・この日は水道も使えていた
・役場では電気が使える。携帯充電サービスが利用できるも、ひとり10分など制限あり

3月12日（地震発生から2日目）

・断水
・スーパーは震災翌日から2〜4日は在庫で営業するが、その後休業する店が相次ぐ
開店していていても入場整理券がないと店内に入れず、入場券を求めて早朝から数百人単位の列ができた

3月13日（地震発生から3日目）

・電気が復旧するが、その後も余震でたびたび停電に

3月15日（地震発生から5日目）

・水道が一時的に復旧するが、地震の影響で水道管のサビが水に混ざり、赤茶色に

3月18日（地震発生から7日目）

・目張りして休業していたコンビニが、お弁当が届く時間だけ営業を再開
・ガソリンスタンドが営業を再開するが、災害派遣の車両に限り給油し、一般に発売されるようになると、長蛇の列で数日泊まり込みが当たり前だった
・自転車などを使って、会社へ出勤する人が増える
・郵便配達が再開

3月20日～（地震発生から10日以降）

・水道が市街地を中心に復旧しはじめるが再び断水する地域あり

・温泉施設が無料になったり、ヘアサロンではシャンプーが無料になったりするが、ガソリンがないため、遠方からだと行けない

・下水処理施設が津波被害でやられているため、下水管が逆流する恐れがあり節水

・飲食店が営業しはじめる

・ATMも通常営業

・物流も復旧。少し街の復興が感じられる

3月23日（地震発生から12日目）

・**市立保育所が一斉に再開**

4月上旬（地震発生から約3週間以降）

・小学校、中学校、高等学校が再開

・**水道が完全復旧**

・路線の一部が復旧し、電車通勤

・ガソリン供給が安定し、落ち着いてくる

4月中旬

・4月13日、仙台空港臨時便再開

・休園していた保育園の多くが再開

・JRは全線復旧していないため、本数が少なく時間もかかった

・道路の状態も悪く渋滞が相次ぐ

4月下旬（地震発生から約1ヶ月半）

・**都市ガス復旧**

・電車の本数が増えてきた

5月以降

・公園は被災ごみの集積所や自衛隊の宿泊所に、体育館や市民ホール、スポーツ施設は避難所や遺体安置所になっていたので、子どもを遊ばせる場所がなかった

6月以降

・ライフラインを含め、日常生活が戻ってくる

・道路の陥没や段差が修復する

・10月1日より、仙台空港アクセス鉄道が運行を再開

・下水処理施設の完全な復旧までは約3年の歳月を要する見込み

※あくまでも被災ママの体験談をまとめたものです

自宅をシェルターに

睡眠時間もカウントすれば、一番長い時間を過ごす自宅。万が一のとき、自宅をシェルターにできると安心です。また、小さい子どものいる家庭では、その後の避難生活を自宅で過ごした方が安心だという声も多いので、事前にできる限りの安全対策を施しておきましょう。

玄関

重要な避難通路です。
下駄箱は固定し、なるべく物を置かないようにしましょう。
また、第一次避難バッグは玄関に置いておきましょう。

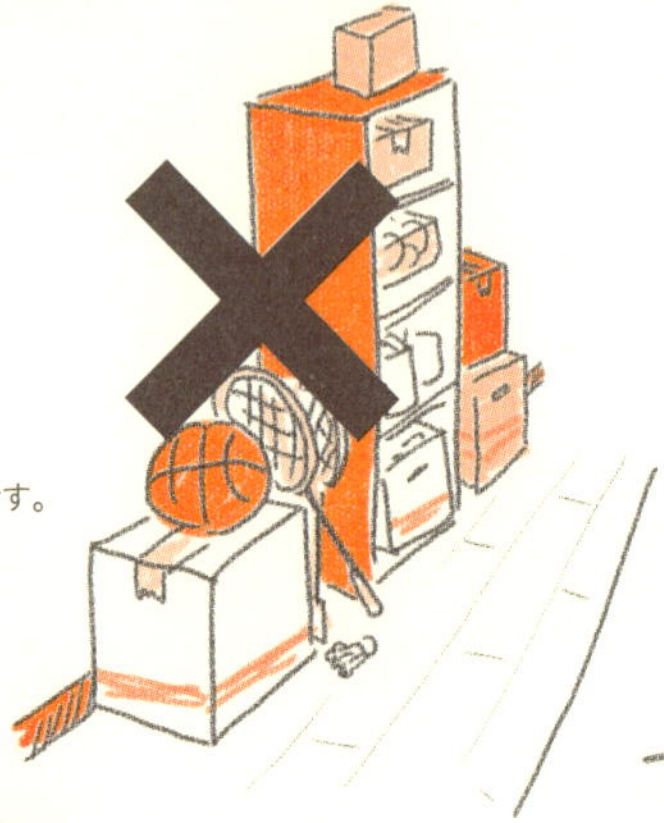

廊下

セイフティゾーンになる場所です。
できるだけ物を置かないようにしましょう。

お風呂

窓や鏡に、ガラス飛散防止フィルムを貼っておきましょう。

トイレ

外開きのドアの場合、トイレの前に物を置かないようにしましょう。

照明

避難する際に意外とその存在を
忘れてしまうのが照明器具。
吊り下げ式の場合は特に
しっかり天井に固定します。

テレビ

できるだけ低いところに設置します。
ラバーなどを挟んで動かないようにします。

窓

ガラスには飛散防止フィルムを
貼りましょう。

棚

扉は開かないように留め具をつけておきます。
家具安定補助板(敷き板)などを咬ませて、
転倒しにくい角度に調整しておくと、安心です。

家具

重量のある家具は1階に置きます。
収納の際には、重い物は
下の方に入れると安定します。
背の高い家具は転倒防止対策をしましょう。

チェックポイント

①家の中を見回して、危険箇所をチェックしましょう。
②家具の配置を変えたり、転倒対策をしたりすることで、①の危険を回避しましょう。
③各フロアで最低1カ所はセイフティゾーンを作っておきましょう。

家族のルールを作ろう！

「マザー・ウイング」が2011年9月に実施した被災者の意識調査で、震災による家族や環境の変化について尋ねたところ〝家族のきずなが強まった〟が4割だったのに対して、〝家族のきずなが弱まった〟という、気になる回答もわずかながらにありました。中には、離婚という結論に至った人も……。

「私は自宅で、夫は職場で被災。余震の中、乳児を抱えて不安な時間を過ごしているのに、連絡がほとんどなく不安だった」。

電話が使えず、交通手段も断たれた中、自宅に戻れないのならそのときにできる最善の策として夫は職場での対応に奮闘した。しかし、夫のこの判断を受け入れることができなかったという妻。夫婦間に埋めることの難しい溝ができてしまったそう。

「夫婦のきずなが強まるか、溝を感じるか、の違いは、震災直後の混乱や不安を一緒に乗り切ることができたと思えるかどうかにあります」と、「マザー・ウイング」の小川ゆみさん。

困難な状況を、家族みんなで乗り切ることができれば一番安心ですが、交通機関や道路の被害状況によっては、家族が一カ所で避難することができないこともあります。募る不安が精神的なパニックの原因になることも。

「自宅周辺が津波被害にあったため、子どもと2人で自宅から離れた避難所にいた。夫の安否が確認できたのは数日後。いくつもの避難所を探し回ったという夫が私たちを見つけてくれたが、合流するまで最悪の結末が脳裏に浮かぶこともあった」。

被害の拡大を最小限にとどめるためにも、災害別の対応策について家族のルールを決めておきましょう。

災害伝言板を活用できるようにしておく

回線のパンクや停電などのため、電話が通じなくなる災害直後に、最も頼りになるのが『災害伝言板（171）』です。公衆電話から無料でかけられ、ガイダンスに従って操作すると、30秒の伝言が残せます。他にも、各携帯電話会社が提供する災害用伝言板サービスもあるので、家族みんながアクセスしやすい方法を検討しましょう。

避難場所は慎重に選定する

避難場所は、たとえば“地震なら広域避難所、津波なら高台にある実家”など、災害の種類ごとに、より安全性の高い場所に決めておきます。洪水ハザードマップなども参考にして、慎重に決めましょう。


通信手段が途絶した中、**最終避難場所を離れる場合にはメッセージを残す。**

建物の倒壊などにより、あらかじめ決めておいた最終避難場所を離れる際には、行き先を書いたメッセージを貼り、ほかの家族に知らせます。災害時にはたくさんのメッセージが貼られるため、貼る場所についても決めておくとよいでしょう。

複数の連絡拠点を設けておく

「**被災地外には電話がつながると聞いたことがあったので、九州にある実家に固定電話から連絡をした。電話がつながったので母から保育園に連絡してもらい、子どもの安否を確認することができた**」。

最終避難場所や災害伝言板のほかにも、電話での連絡拠点を2カ所以上設けておくと安心です。通信回路の問題を考慮して、連絡拠点はできるだけ遠方に住む親戚や知人にし、電話番号は暗記しておきましょう。

災害別の最終的な集合場所を決めておこう

「**大地震が来たときには、最終的に夫の実家に集合すると決めていました**」。

震災後、はじめて家族と連絡が取れた方法について、電話やメールなどのほかに“合流”をあげる人も少なくありませんでした。通信手段が途絶した中、一時避難で家族がバラバラになったときのために、時間がかかってもひとつの場所に全員が必ず集まれるよう、最終避難場所を決めておきましょう。

防災ごっこをしよう!

「家庭での避難訓練が大切だと思いました!」

睡眠時間も含めれば、自宅は、多くの人にとって一番長い時間を過ごす場所です。

ところが、自宅での防災訓練を実施している人は少数派ではないでしょうか。

「とっさに机の下に隠れようと思ったけど、私と子どもが一緒に潜れるようなテーブルがなかった」。

揺れを感じたら机の下に潜るのは、学生時代に防災訓練などで繰り返し練習してきたこと。突然の地震に気持ちが多少動揺していても、体が動いてくれます。これが、防災訓練が必要なゆえんです。

とはいえ、子どもが小さい家庭で、シビアな防災訓練を行うのは難しいもの。防災講座のファシリテーターを務める『マザー・ウイング』の小川ゆみさんは、日頃から家族で〝防災ごっこ〟を行っていたそうです。

「我が家では、防災用食品の消費期限が切れるタイミングで〝防災ごっこ〟をしています。電気を消しランプの灯りと防災用品だけで過ごし、トランプなどのアナログゲームで遊びます」。

災害時のシミュレーションを〝親子遊び〟として行っておくと、いざというときに焦らず対応できるだけでなく、子どもの震災ストレスを低減させてくれるようです。

「地震直後、ライフラインが止まりましたが、〝防災ごっこ〟で練習した通りのことを実行しました。避難してきた祖父母も含め大家族での避難生活でしたが、回り将棋やオセロなど、昔ながらのゲームを楽しんだところ、子どもたちは大喜びでした」。

地震だ！ さあどうする？

「**自宅にいた子どもが安全なところに**
避難できたかどうか心配した」。
「**息子をテーブルの下に潜らせ、**
近くの家具が倒れないように押さえた」。
“グラッと来た！”状態を想定して、
自宅の中に潜んだ危険な箇所を
子どもと一緒に点検することで、
子どもの防災意識も高めることができます。
3.11のような大地震の場合、
「**立ち上がることさえ難しく、**
子どものいる部屋まで移動ができなかった」
という声もあります。
子ども自身が安全を確保できるように
親子で練習しておきましょう。

非常食を食べてみよう

「**缶詰を備えていたが、**
避難バッグに缶切りを入れていなかった」。
「**非常食の調理方法がよくわからなかった**」。
非常時に一番必要なのは体力です。
その体力を支える食事は軽視できません。
食べ慣れていないことの多い非常食は、
実際に食べてみると好みの味でなかったり、
食べにくかったりということもあります。
小さな子どもは我慢が難しいものです。
調理方法を含め、事前に試してみましょう。

電気やガス、水道を 使わずに過ごしてみよう

「**震災の夜、懐中電灯がひとつしかなく、**
誰かがトイレに行くときに困った」。
「**テレビもネットも使えず、ラジオがなければ**
情報収集ができなかった」。
3.11の後「**慌てて買いにいった**」と
いう声も多かったのがラジオや懐中電灯。
ライフラインが遮断された状態を
あらかじめ体験して、必要な防災グッズを
見直しておきましょう。

防災グッズを使ってみよう

「**一通りの防災用品を準備していたつもりだった、**
“まさか自分が”という気持ちがあり中途半端な準備をしていた」。
「**懐中電灯の電池が切れていた**」。
“防災ごっこ”は防災用品の消費期限を確認する
機会にもなります。また、すべての防災グッズを一度は
使ってみることで、準備したものが万が一のときに
役立つものなのか検証することができます。

防災ピクニックに出かけよう！

「避難場所に向かう途中、電柱が倒れていた。感電しては危ないと思い、自宅に戻ろうとしたが、眼下にまで津波が迫っていたので、慌てて高台に避難した」。

「人の波ではぐれそうになったので、子どもをおぶって避難した」。


自宅から指定避難場所まで歩いてみたことがありますか？

また、その避難所までの経路が万が一、地震や津波の被害によって通行止めになっていたときに、避難場所に行くほかのルートを把握していますか？


幼い子どもと一緒に避難する際には、より安全な道を選ばなければなりませんし、普段はしっかり歩ける子どもでも、状況によっては、抱っこやおんぶが必要になる場合もあります。

また、小学生ぐらいになると、子どもたちだけで過ごす時間も出てきます。大人が不在で、子どもたちだけで被災したときにも、自分たちで危険箇所がわかるように、事前に防災学習をしておくことが大切です。

そこで、週末の家族イベントとして取り組みたいのが〝防災ピクニック〟です。

避難場所までの経路を地図上で確認するだけでなく、親子で楽しみながら自分たちの足で歩いてみましょう。


大地震発生時に、倒壊しそうな塀やガラスが飛散しそうな建物などはありませんか？

用水路や川の水が溢れたり、土砂が崩れたりして、通行できなくなりそうな危険ポイントはありませんか？


実際に歩いてみると、地図からはわからない〝危険〟が見えてきます。子どもたちと一緒にチェックしてみましょう。そうすることで、子どもたちの〝危険を回避する視点〟を育てることもできます。

子どもがよく行く遊び場までの道のりや、通学路なども親子で〝危険な場所チェック〟をしておくと安心です。

避難バッグを持ってみよう

「避難バッグが想像以上に重かった」。
3.11以降に、準備した人や
防災グッズを買い足した人も多い避難バッグ。
実際に持って歩いてみたことがありますか？
防災ピクニックで持ち出してみて、
「子どもを連れて、この重さはムリ」と感じたら、
中身の見直しをしましょう。

近隣の避難場所もチェックしておこう

**「指定した避難場所に行ったら、
人で溢れていたので別の避難場所を探しにいった」。
「『ここなら津波も大丈夫』と言われた体育館で
避難していたが、津波が襲ってきた。
慌ててギャラリー部分に逃れたが、
危険かどうかは自分で判断するべきだと痛感した」。**
3.11では想定外の高さの津波に、
被害を受けてしまったという一時避難所もありました。
そのため被害を受けなかったところに
人が集中してしまう問題も起こったそうです。
何らかの理由で予定していた避難場所に
行けない場合のことも想定し、
近隣にある避難場所もおさえておきましょう。

危険箇所をチェックしよう

老朽化したブロックの壁や
コンクリートの塀など、
地震のときに崩壊したり、
倒壊したりしそうな
箇所はありませんか？
建物が崩壊したときや火災が発生したときに
危険な幅の細い道もチェックしておきます。
また、3.11では内陸部の街にも、
川の遡上による津波被害が発生しました。
川の近くを通る場合は注意が必要です。
危険箇所が見つからなかった場合でも、
複数ルート用意しておくと、
予期せぬ事態にも慌てずにすみます。
避難場所までのおよその所用時間も
把握しておくと安心です。

防災キャンプをしよう！

小学校などでの避難生活は大人にとっても大きなストレスがかかるもの。小さな子どもにとってはなおさら、大きな負担となります。そんな、いつもとは違う〝不自由さ〟を楽しみながら体験し、災害に備えようとするのが防災キャンプです。社団法人日本キャンプ協会の金山竜也さんに防災キャンプについて教えてもらいました。

防災キャンプの目的

①いつもと違う環境を楽しもう
②助け合うことを経験しよう
③危ないことに気づく力を身につけよう
④やったことのない役割にチャレンジしよう

✔ 自然の素晴らしさと、脅威を学ぶ

- おもちゃやゲームがなくてもできる遊びを、いろいろ発明してみる
- 夜の林を歩いて、夜の暗さ、星の明るさ、たくさんの生き物の存在を感じてみる
- 穏やかに流れている川が、大雨のときにどんな風に変わるのか、家族で話して想像してみる

✔ 社会性を身につける

- "薪を集めてきた""火が起こせるようになった"など、小さな成功体験を積み重ねることができる
- "野菜切り担当""お皿洗い担当"などの小さな役割を、責任を持って成し遂げる喜びを体験できる

防災キャンプをパーツごとに楽しむ

キャンプ場や河原でBBQをする

バンガローに泊まってみる

非常食を持って山にピクニック。
舗装されていない道を歩く訓練をする

レトルト食品を持っていき、
鍋を使って、薪でご飯を炊いてみる

楽しむことを基本にしましょう

キャンプは楽しい活動です。"災害に備えるため"と身構えるのではなく、キャンプを楽しんでいるうちに、"この子もたくましくなったなぁ"と気づくぐらいが、ちょうどよいのかもしれません。
また、親が楽しめないと、子どもも楽しめなくなってしまいます。無理をせず、最初はお弁当を持ってピクニックに出かけるなど、親自身が"気持ちいいな"と思えることからはじめましょう。

家族でのキャンプに慣れてきたら、ほかの家族と一緒にキャンプをしたり、NPO等が主催するキャンプに子どもを参加させてみることをオススメします。知らない人とも協力する、自分より弱い人を助ける、ほかの人に助けてもらう、新しいスキルを身につけるといった経験を通じて、子どもたちは災害時の力強いパートナーに成長してくれるでしょう。

金山竜也(社団法人日本キャンプ協会)

幼児にできる防災訓練
TACチャイルドクラブの防災訓練に学ぶ

TACチャイルドクラブでは、日々、スポーツによって心身を鍛えるだけでなく、自立を促し、防災訓練にも力を入れています。楽しみながら身を守る技術を身につけていくカリキュラムを、参考にしてみましょう。

園でお泊りの日

園児が全員で園に泊まる
イベントを行っています。
布団を自分たちで協力して敷き、
親と離れてみんなで過ごします。
いざというとき園に
泊まることになっても、
慣れているので安心です。
[自宅でやってみよう!]
実家やお友達のお家にひとりで泊まれるよう、
日ごろから"お泊り会"で慣れさせておきましょう。

おにぎりだけで過ごす

防災訓練の一種として、
おにぎりだけで過ごす日があります。
[自宅でやってみよう!]
"防災ごっこ"の一環として、
おにぎりや非常食だけで
過ごす日を作ってみましょう。

和式トイレを使えるようにする

TACチャイルドクラブには、和式トイレがあります。
避難所の簡易トイレは和式であることも多いので、
いざというとき、和式トイレが使えないと、
困ることも多いようです。
[自宅でやってみよう!]
外出した際、公共トイレの
和式トイレを使ってみましょう。

基礎体力をつける

水泳やバレエ、剣道などが日々のカリキュラムに
組み込まれています。
また、登山や川遊びなど普段から自然に触れ、
何もないところで遊びを生み出す創造力を育てています。
[自宅でやってみよう!]
普段から、自然に触れ、自然の中で遊びましょう。

TACチャイルドクラブ
東京都中野区中野2-14-16
http://www.tac-net.info/progrum/childclub/index.html

預け先との連携

そのとき、保育園で起こったこと

「津波の心配があったため、地震が収まってすぐに園に迎えにいったら、
園庭に子どもたちを整列させていた。
『海辺に位置する園なのに、意外とのんびりと対応しているのだな』と
思ったら、迎えにきたお父さんのひとりが
『何している！ みんなで避難するぞ』
と叫んでいた。後日、園が津波被害を
受けたと聞いて、ぞっとした。
あのお父さんの一言で何人もの
子どもの命が助かったんだと思う。
本当によかった」。

「園での防災訓練はしっかり行っていたため、
預かっていたお子さんはみんな無事でしたが、
園に通う子どもの数人が津波に飲まれてしまいました。
その数人はみんなお迎えがきた子どもで、
自宅に向かう途中で保護者とともに被災してしまったそうです。
なぜ、あのときに保護者も誘って一緒に避難しなかったのか
ということが悔やまれてなりません」。

保育園や幼稚園などの預け先や、小学校など、子どもたちが長い時間過ごす施設の防災対策について知っていますか？
子どもたちの尊い命を守るために、園と保護者で一緒に対策を考えましょう。

□ 従来型の連絡網以外に、
メールなど緊急連絡網がありますか？

□ 園の避難所は災害別に
検討されていますか？

□ 連絡が取れないまま夜を迎えた
ときの対応は決まっていますか？

覚えておきたい ファーストエイド

救助の基本は安静

ケアをする場合でも、救助を待つ場合でも、救助する人の精神的、身体的に安静を保つことが最優先事項。救助する人の状態に気持ちが動揺しても、周囲がいたずらに騒ぎたてることのないようにしましょう。

けいれん

災害など強いストレスが原因となり、
けいれんを起こす場合があります。
発作を起こしたら、衣類をゆるめ、
呼吸が楽にできるようにして、様子を観察します。
このときに強くゆさぶったり、割り箸やタオルなどを
口に入れたりしてはいけません。
嘔吐する場合には、吐物が気管に入らないように、
体を横に向け気道を確保します。
繰り返し発作を起こしたり、
長時間続いたりする
場合には、
直ちに医療機関に
連れていきます。

3.11のときは
寒さとストレスで
突然けいれんを起こして
倒れる子どもが
多かった

骨折

患部に硬いものを添え
包帯などで固定して、病院へ行きます。
屈曲したり、出血したりしている場合は、
無理に元に戻そうとしてはいけません。
全身を毛布でくるみ、保温します。

水難事故

意識がなく普段通りの呼吸がないときは
人工心肺蘇生法を施します。
唇が青紫色になったり（チアノーゼ）、
ろれつが回らなくなったりするのは、
低体温症（ハイポサミア）の兆候です。
症状が進むと心肺機能停止で
死に至ることも。
衣服が濡れていれば、
乾いたものに替え、
毛布などでくるむなどして体温を
下げないようにしましょう。

取材協力：日本赤十字社

ファーストエイドを学べる講習会

ファーストエイドについて学べる講習会は、
全国各地の消防局で開講されているほか、
防災関連や子育て関係の団体などでも行われています。
短時間で総合的に学ぶものや、
子どもに特化したものなど、
ニーズに合わせたさまざまな講習会がありますので、
自分に合ったものを受講しましょう。

日本赤十字社
Japanese Red Cross Society

http://www.jrc.or.jp/
日本赤十字社では、「苦しんでいる人を救いたいという思いを結集し、いかなる状況下でも、人間の命と健康、尊厳を守る」という使命の下、各都道府県にある日本赤十字社の支部で救急法などの講座を開催しています。
受講可能な場所、日程はウェブサイトで確認をしてください。

救急法 基礎講習
胸骨圧迫（心臓マッサージ）や人口呼吸など、最も基礎的な救命処置とAEDの使い方ば学べる。講習は4時間で1,500円。

救急法（救急員養成講習）
急病や出血、骨折などのケガの手当て、災害時の心得などが学べる。講習は12時間で1,400円。※受講には基礎講習の終了が必要。

幼児安全法（支援者養成講習）
子どもに起きやすい事故の予防や手当、子どもの病気への対応などを知識と技術の両面から学べる講座。講習は12時間で1,500円。

ファーストエイドが学べる講座の主催団体

▶東京防災救急協会
http://www.tokyo-bousai.or.jp/lecture/kyukyu/index.html
▶市民のための心肺蘇生（日本救急医学会）
http://aed.jaam.jp/cpr_process.html
▶MFA（メディック・ファーストエイド）
http://www.mfa-japan.com/index.shtml
チャイルドケア・プラス
http://www.mfa-japan.com/programs/childcareplus.shtml

特別なニーズのある子どもと震災

アレルギー、自閉症

「アレルギーのある子のミルクや食事がない」。
「子どもがじっとできないことを、
『親のしつけができていない』と叱られた」。
「長男(小2)は自閉症があるため、
健常な子ども以上にストレスが多い生活でした。
障がいを持つ子どもに対して、これまで以上の
理解と支援をお願いしたいです」。

視覚障がい

「段差がある避難所のトイレは、
視覚障がいがある人にとっては困難。
慣れた場所では把握している
トイレットペーパーや汚物箱の
位置も、はじめての場所では
わからなくなる」。

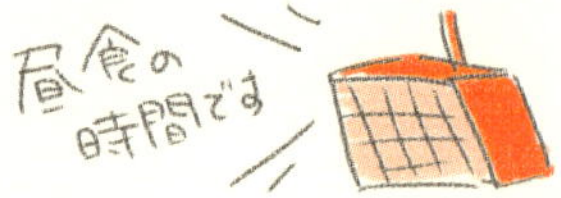

聴覚障がい

「聴覚障がいのある人は、避難所内の
アナウンスに気がつかないため、
周囲の人に理解を得られるまでが
大変だった」。

取材協力：藤原伸哉(社会福祉法人 豊心会)

症状に応じた特別なニーズ

アレルギーや障がいを持つ子どもたちには、症状に応じた特別なニーズがあります。このニーズが周囲に理解されず、つらい思いをした人もいたようです。

子どもの障がい特性や配慮を求める事柄などを事前にまとめておき、避難所などで配慮や支援を求めることも対応策のひとつです。

日頃から子どもに特別な支援が必要なことを周囲に知らせ、理解してもらうよう努めましょう。

特別なニーズのある子どものための防災

災害が起こったらどのような状態になるのか？　普段から親子で話し合い、自分の子どもに合った防災方法で備え、避難の方法などを練習しておきましょう。

また、子どもがひとりのときに被災しても、周囲の人にサポートしてもらいやすいように、障がいの状況や、対応方法、連絡先などを書いたカードをいつも持ち歩くようにしておくと安心です。

支援団体や患者団体の中には、災害時の支援要請の事前登録を推進しているところもあります。地域によってはアレルギー用の非常食の準備や、福祉避難所を設置しているところもありますから、確認しておきましょう。

ダウンロードマニュアル

『自閉症の人たちのための防災ハンドブック』

社団法人日本自閉症協会が発行しているガイドブック。自閉症の子どもが災害を理解するための解説や、家族に必要な備えについて書かれています。

http://www.autism.or.jp/bousai/bousai-hb-honninkazoku.pdf

『サイコロジカル・ファーストエイド実施の手引き 第2版』

災害直後に役立つ心理的支援のマニュアル。兵庫県こころのケアセンターのサイトから日本語版PDFを無料でダウンロードできます。

http://www.j-hits.org/psychological/index.html

アレルギー支援ネットワーク

ウェブサイトから安否確認データバンクに登録すると、災害発生などの緊急時に安否確認メールが届き、全国各地のネットワークを利用した迅速な支援を受けることができます（登録料・サービス料は無料）。
http://www.alle-net.com/bousai/bousai-set.html

ママ目線でセレクトした、オススメ防災グッズ

※販売終了しました。

MAMA-PLUG with Bamboo

マイカスタマイズ　ワタシと社会を変えるお弁当箱シリーズ！

O157への滅菌・抗菌効果が立証された、ママ考案、竹粉配合のお弁当箱！

ママが開発したお弁当箱だから、
乳幼児が使っても安心な素材、竹粉配合の
プラスティックを使っています。
抗菌性が高く、O157や黄色ブドウ球菌への
抗菌・滅菌効果が認められています
（日本食品分析センター検査済み）。
避難生活での断水や停電などで、
いつものようにしっかり洗えないときでも、
優れた抗菌力で子どもを守ってくれます。
特に、夏場、エアコンの効いていない場所での、
食材の保存は不安ですが、竹粉が食材を
くさりにくくしてくれます。また、このお弁当箱は、
3つの容器に分かれていて、それぞれタッパとしても
使えて便利です。避難所などで、配布される食料や
フルーツを保存しておいたり、
子どもへお菓子を持ち歩いたりするのに重宝します。
カビが発生しづらいのもうれしいポイント！
重ねて収納できるので、避難バッグの中に
ひとつ入れておくのがオススメです！

色は3タイプ

▶ラベンダー（MireyHIROKIバージョン）
MireyHIROKI（ミレイヒロキ）によるデザイン。

▶ペパーミント（五十嵐晃バージョン）
墨絵画家、五十嵐晃による優しいタッチのデザイン。

▶ブラック（くまモンバージョン）
熊本日日新聞とのコラボで制作したデザイン。

2,500円（税別）
発売：ユニオン産業
http://www.uni-project.co.jp/index.html

①中容器は、120mL。5歳児が
1回に食べるご飯の量（目安）。
離乳食などが混ぜやすいように
片側がラウンドになっています。

②小容器は100mL。3歳児が
1回に食べるご飯の量（目安）です。
フルーツやサラダ、袋菓子などの
持ち歩きに便利です。

③大容器は220mL。単独で使うと
幼児のお弁当箱として最適な大きさです。

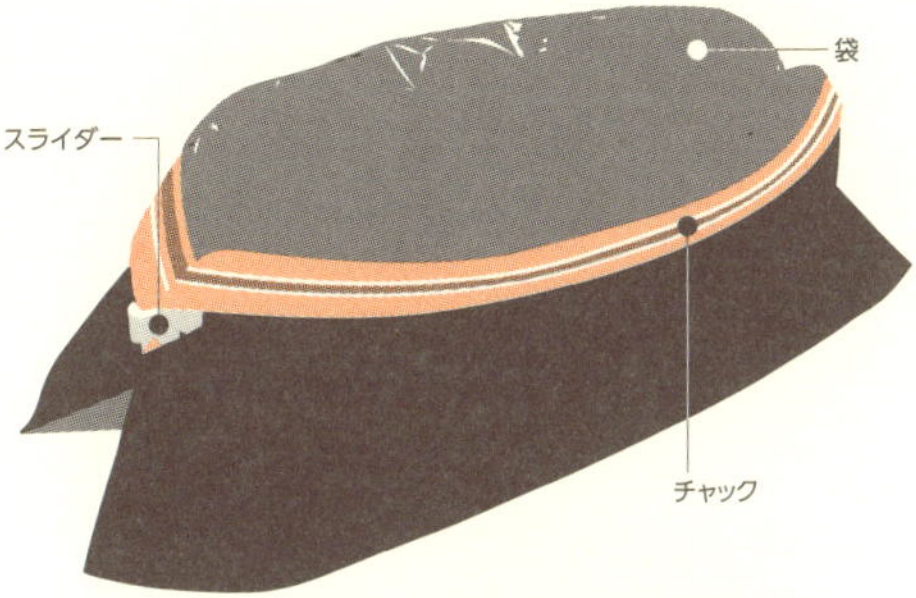

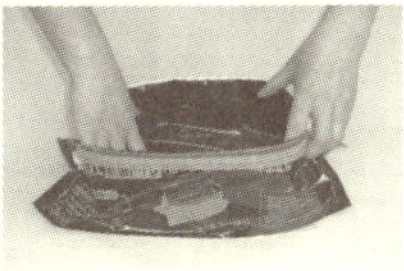

ポーチトイレ

簡単に使えて、手が汚れない緊急時に安心の密着チャック式の防災トイレ

避難所でのトイレ不足や自宅マンションでの断水などの際
活躍するのがポーチトイレ。特に、小さい子どもは我慢が難しいので、
用意しておくと便利です。使い方は簡単で、袋のチャックを開けて、
便座にセットするだけ。用を足したらスライダーで
しっかりチャックを閉めます。完全密封で匂いが漏れず、安心です。

3個セット
900円(税別)
販売元:株式会社ビッグウイング
http://www.bigwing.co.jp

SEA TO SUMMIT
X-カップ

シリコン製の携帯用カップスープや味噌汁用にも使えて便利です

避難所で不足したもののひとつが、
飲み物用のカップです。
SEA TO SUMMITの携帯用カップは、
コンパクトにたためて持ち歩きに便利。
底が平たくてこぼれにくく、子どもでも安心して使用できます。
また、飲み口がナイロン製なので、持ちやすくて飲みやすいのが特徴です。
−40℃〜180℃まで使用可能なので、スープや味噌汁などにも使えます。
本体はシリコンなので洗いやすく衛生的です。

たたんだ時のサイズは
直径約90mm、高さ約15mm。

1000円(税別)
販売元:株式会社キャラバン
WEBショップ:
http://www.caravan-web.com/caravanclubnew/webshop.html

100円ショップでそろう防災グッズ

防災グッズをすべてそろえようとすると、金額が張りますが、
100円ショップでも、かなりのものがそろいます。
ここでご紹介するのは、その一部。
「仙台で、100円ショップを活用して防災をしていたことで
家具が転倒せずにすんだ」というマザー・ウイングの小川ゆみさんに
100円ショップを活用した、防災術を教えてもらいました。

家具の転倒・破損防止グッズ

↓ガラス飛散防止シート
食器棚などのガラス戸や窓に貼って、
割れた時にガラスが飛び散るのを
防ぎます。自宅で被災した場合は、
ガラス片でケガをすることが多いので
ぜひ対策を。

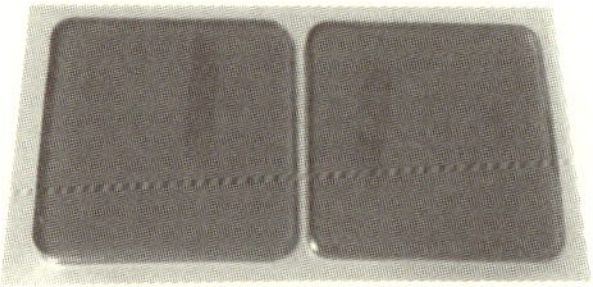

↑家具安定補助板
敷板を咬ませて前方に
倒れないようにします。
天井との突っ張りや
L型金具等による家具の固定と
併用するとよいでしょう。

↑耐震用マット
家具や電化製品などの転倒防止に
効果があります。大きな地震の場合、
トースターや炊飯器なども
飛ばされてきて危険なので、
小型家電にも対策を。

↓扉ストッパー
開き戸や引き戸にストッパーを
付けておくと、
食器が飛び出さなくて安全です。
割れた食器類は、
後片付けも大変です。

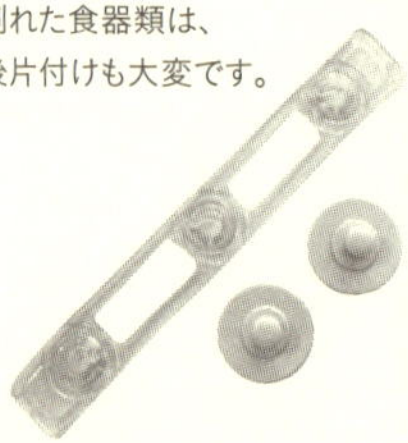

被災ママの体験談
「このカップボードには耐震ラッチがついていなかったので、
100円ショップでストッパーとガラス飛散フィルムを購入し、
食器の下にはシートを敷いていました。そのおかげで、
震度6強でも食器は1個しか割れませんでした。
お気に入りの食器には思い入れがある人も多いと思います。
ぜひ防災対策をしておきましょうね」。（小川ゆみ）

あると便利な防災グッズ

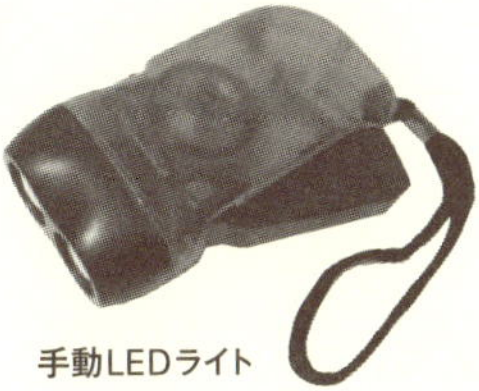

手動LEDライト

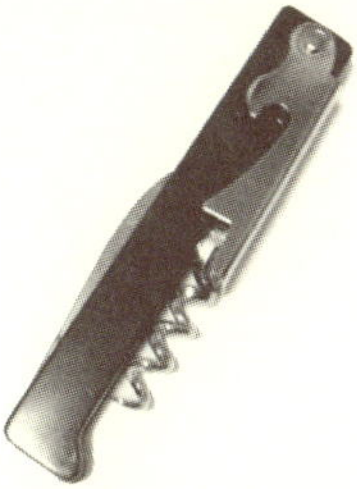

万能ナイフ

防犯ブザー

レジャーシート・雨具・レスキューシート

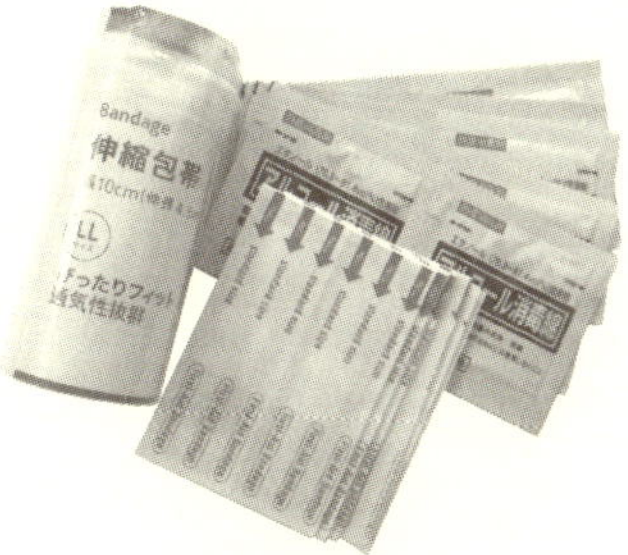

応急処置用品

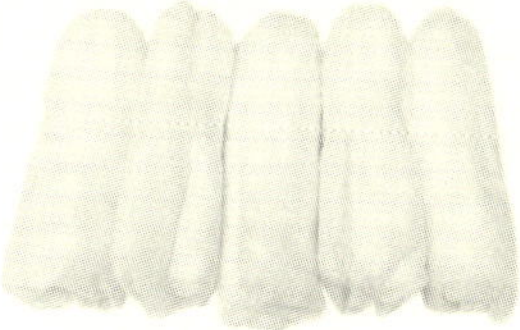

紙ショーツ

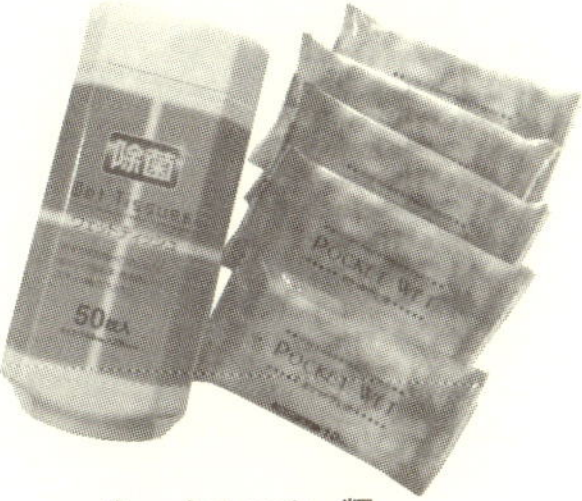

ウェットティッシュ類

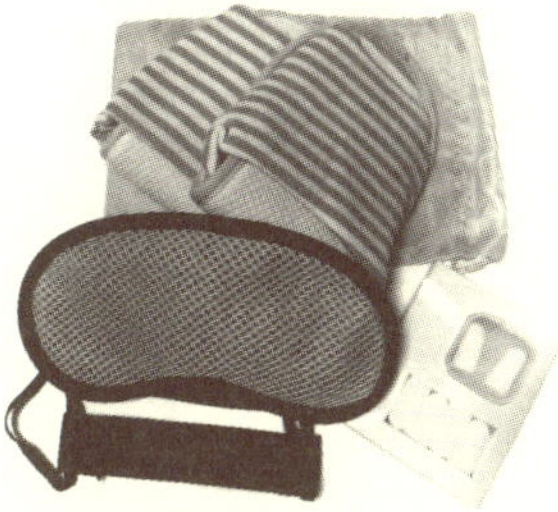

耳栓・アイマスク・スリッパ

ウォーターバッグ

マッチ・ライター類・燃料

女性ならではの防災術

サニタリーショーツ

緊急度が高くないため、
支援物資として届きにくいもののひとつ。
「この1枚があるのとないのとで
安心度がぜんぜん違う」。

ナプキン

サイズや吸収力、形など、個人の好みがわかれるもののひとつ。
また、公平さを第一優先とする避難所では、ナプキンの
配布もみんな平等であるため、必要枚数がもらえないことも。
下着が変えられないときにも、役立ちます。
「お風呂に入れなかったので、
いつも以上に替えるようにしていました」。

生理用品がないと困るよね
サニタリーショーツは支援物資に入らないらしいよ
ビデがあった方が……
避難所って下着を干す場所もなさそう

避難所生活は女性にとって
とてもストレスになるもの
防災グッズも女性仕様でそろえておく

携帯用のビデ

ウォシュレットの代わりとして、
デリケートゾーンの清潔を保つことができます。
支援物資として配布していた団体もありましたが、
地域によっては緊急性を認められず、
配布されなかったということも。
自分で備えておく方が安心です。
「衛生環境が悪かったりトイレを我慢したりしたせいで膀胱炎になった」。

マスク

粉塵が舞う震災後の街を歩くとき、
マスクは必須アイテムです。
その他、風邪を予防する役割もあります。
マスクをすることで"すっぴんを隠すことができた"というメリットも。
「感染予防にマスクをつけていましたが、
化粧品がそろわない中、顔の乾燥予防にもなりました」。

ポーチ

ナプキンやビデなど、他人の目に
触れさせたくないものを運ぶのに便利です。
「人目が気になったので、
新聞紙に包んで持っていっていました。
ポーチ1個あるとずいぶん便利です」。

ブラジャー

サイズのある製品は支援物資として受け取りにくいものです。
替えが1枚あると、洗濯のときなどに便利です。
「ブラジャーは、なくてすごく困っていたものの、
ほしいものとして言いにくかった」。

トートバッグ

支援物資が届きはじめた後、品物を受け取りに
いったり、運んだりするのにあると便利。
「いただいたものを運ぶ袋がなくて困った」。

女性に必要な防犯対策

「震災当時、宅配便を装っての強姦が発生したという話や区役所などで若い女性に『うち、お風呂入れますよ』と声をかける人がいたとよく聞きました」。

震災による心の不安やストレスが、時として、暴力となり女性に向けられてしまうことがあります。

とても残念なことですが、非常時には犯罪が通常時の3倍に増えると言われています。

被災女性向けにホットラインを開設したNPO法人全国女性シェルターネットによると、震災後に寄せられた、暴力や強姦などの相談件数は2カ月間で約600件にも及んだそうです。

DVやレイプなどの被害は「命が助かったのだからこれくらい」「加害者だって被災者なんだから」などと、事件が表に出にくいということもあるようですが、支援してくれる団体もあります。万が一事件の被害者になってしまったときには、必ず相談しましょう。

寄り添いホットライン
0120-279-338
（全国どこからでも通話料無料）
※2012年3月11日～
※被災地以外の方の相談も可

対象となる相談内容
- DV、レイプ、セクシュアルハラスメントなど
  女性に対する暴力被害のご相談
- 被災された女性のご相談
- 子どもの虐待に関すること
- セクシュアルマイノリティの方のご相談
- 外国籍女性の相談
  毎日 10:00～22:00まで

人目のないところをひとりで歩かない
移動は明るい時間帯にし、
行き先を家族や知人に伝えておく

非常時にも頼れる子育て支援団体

被災した親子への子育て支援の必要性

小川ゆみ
仙台子育て ふれあいプラザ
「のびすく泉中央」

3月11日、私たちが指定管理を行っている、仙台市の乳幼児の遊び場「のびすく泉中央」では、大きな揺れにスタッフも来館したママと子どもたちもパニックを起こしていました。何が起きているのかわからず、長い間、頭が真っ白になるくらいの激しい揺れでした。

幸い、速やかに避難をすることができて、ケガ人をひとりも出さず、利用者の方を送り出すことができました。しかし、その後、沿岸部が津波による多大な被害を受けていると知ることになります。

また、当施設にも被害が出たため、しばらく開館ができない、と決まったときには、スタッフ一同、〝これからどのように小さな子どもたちを抱えた保護者の方を支援していったらよいのだろう……〟と、頭を悩ませました。

〝怖い思いをしたママや子どもたちに寄り添い、少しでも心を軽くするお手伝いがしたい〟。

そう思いながらも、沿岸部に行くためには車が必要ですが、ガソリンもなく、私たち自身も家がグチャグチャで、親類や友人の中にも、大きな被害を受けた人が少なくない状況です。

〝今は自分たちが回復する時期。必ず、私たちの出番が来る〟。

そう思いながらも、これから母子のために、何ができるのかを考えずにはいられませんでした。

可能な範囲で、歩いていける避難所を回っても、乳幼児の親子を見かけることがありませんでした。「避難所は寒く、人もいっぱいで、とても子連れで行ける場所ではなかった……」と、後からお母さんたちが話してくれました。

震災から1カ月半経ったころ、「のびすく泉中央」が仮設での運

営を再開しました。子どもたちのお楽しみの時間はもちろん、気持ちを吐き出せる場、親子でほっとできる場が戻ってきました。再開を待っていたかのようにたくさんの利用者が来てくれました。一人ひとりと、じっくり話せるようになり、話を伺いながら、対応していきました。

震災から3カ月ほど経つと、内陸部のお母さん達は落ち着いてきました。でも、被害がひどい地域から転入してくる親子がたくさんいます。傷つき、つらい気持ちのままがんばって子育てをしているのです。だんだん「被害の大きさのギャップを感じる」と言われることも多くなってきました。

そこで、法人として、地震の被害で引越しを余儀なくされた方への〝無料の託児〟と、同じ思いを持つ親同士でお子さんを預けてじっくり今の気持ちを話す〝グループカウンセリング〟の2つの事業を展開することにしました。

震災から1年近く経った今でも、避難してくる方は絶えません。私たちに必要なことは、多くのお母さんたちが抱えていることを受け止め、心の元気を取り戻すお手伝いをすること、そして情報提供をしていくことだと思っています。

震災時を思い出すとパニックになったり、気分が落ち込んだり、涙が止まらなくなったりする人をたくさん見てきました。そんなとき、「大丈夫、私たちは生きている」、そう声に出して、一緒に確認することが大事なのだと教わりました。

これからも、スタッフが与えられる〝安心〟をもっともっと増やしていきたいと思っています。

COLUMN

新しい土地になじめないと感じたら……?

女性を支援する施設へ行こう! ②

川崎市男女共同参画センター〈すくらむ21〉

避難者や川崎市の支援総合相談窓口の担当者の声をもとに、2011年12月からは「女性とこどものためのほっとサロン」を毎月1回開催しています。対象は、川崎市内で個別に居住している避難女性と子どもです。子どもや家族のケアにあたる女性や孤立しがちな高齢のシングル女性が抱える心身の負担を、地域とのつながりの中で、少しでも軽減していただけたらと考えています。

「女性とこどものためのほっとサロン」とは…?

初対面の方々が集まる集いですので、会話がしやすい雰囲気作りに努めています。お茶や飲み物ほか、被災地の"地元紙"を用意。懐かしい故郷の記事に、住み慣れない都市生活での疲れを忘れるという方も多いです。

女性と子どものための支援物資の提供も行いました。

話が弾む手仕事

「手仕事をしながらの方がおしゃべりしやすいのでは?」と、12月は、ネコのお手玉を作りました。置物にしてもかわいらしく、子どもの遊び道具としても最適で、大変喜ばれました。

親子がそれぞれ楽しむ一時保育

サロンとは別室に一時保育室を設けました。保育者は市民活動団体のボランティア。楽しく過ごせるように、おもちゃや道具もたくさん準備しました。子どもの心配をせずに自分の時間を持てることは、母親が自分らしくいられる貴重な時間です。参加者からも「助かった」「子どもが笑顔で遊んでくれてよかった」などの声をいただきました。

ほかの地域の男女共同参画センターでも、同じような取り組みをされているところはありますので、ぜひ足を運んでみてください。

4

つながる.com

日本を襲った未曾有の災害に、私は何ができるのだろうか？　何度も流れる3・11時の映像を見ながら、涙する以外、何もできない自分がいました。何か行動に移したい……と考える一方で、立ち上げたばかりの事業も、震災の影響を受けなかったわけではなく、それをどうにか軌道に乗せる必要もありました。

さらに最大の課題だったのが、当時3歳だった娘を安心させ、守っていくということです。震災の日、都内にいた私が保育園にいた娘に会えたのは22時。長い時間、不安な思いをさせたと思います。震災後しばらくの間、娘は夜中にうなされることが多々ありました。

いろいろな選択肢があると思います。その中で、自分が置かれた状況を考えると、私の場合、今やるべきこと、それは娘のケアであり、事業の立て直しでした。

とはいえ、被災地のこと、特に同じ立場にある子育て中のママの状況は、常に気になるものでした。しばらく頻繁に続いた余震は、関東にいる私たちをも不安にさせました。ライフラインが途絶した被

つながる.com ことはじめ

メンタルケアと生活費支援を兼ねた
ワークショップ形式のものづくりを

「つながる.com」総合プロデュース
NPO法人MAMA-PLUG代表理事　**Lo紀子**

本プロジェクトを通して支援したいこと

1— 被災者の方同士が体験や感情などをシェアし、気持ちの充電をする場の提供

2— 孤立化を防ぐための交流、または情報を交換する機会の創出

3— 制作費の支払いを通じた生活費の一部支援

4— 援助から次のステージへ進む1歩となる仕事づくり

5—「やりがい」「いきがい」につながる仕事の提供

本プロジェクトのしくみ

ワークショップでは、トートバッグに使用する布を作ります。できあがった布は太田旗店で一つひとつ丁寧に裁断・縫製され、「つながる.com」のショップサイトで販売。売上げから最低限の経費を引いた額を制作費とし、東日本チーム（被災者の方々）にお支払いしています。

つながる.com

それぞれの得意分野を活かした、日常の延長で続けられる支援プロジェクト

災地では、なおさら計りしれない不安や恐怖が襲ったはずです。

自分が下した決断に対して、迷いが生じることもありました。

本当は今すぐに被災地に飛ぶべきなのではないかと。

MAMA-PLUGのメンバー、MARUやトミカワと何度も話し合いました。友人や知人、仕事関係の方々とも話をし、その中で〝日本の一大事に、自分は何もできない……〟と、考え悩んでいる方が多いことに気がつきました。

一人ひとりができる支援活動が限られているとしても、同じ想いを持つ人の〝今できること〟をつないでいけば大きな力になるはず……。

もともとMAMA-PLUGは、〝子育ての延長上でできる仕事〟を創り出していくために立ち上げた団体です。ここで試行錯誤しているしくみを応用した、日常生活の延長で続けられる支援プロジェクトのアイデアが浮かびました。

そこで、大学の先輩、川端卓さんに相談したところ、ITマーケティングのスペシャリストとして、会社の有志とともにプロジェクトの立ち上げに携わってもらうことになりました。

また、ちょうどそのころ、別のプロジェクトで、社会問題にアーティストの立場から挑むミレイヒロキさんや、同じく製造業者として挑戦する太田旗店さんとの出会いがありました。

このつながりを元に、「つながる.com」が誕生しました。プロジェクトの軸になっているのは、「つながるワークショップ」です。この軸から被災地とほかの地域を結ぶプロジェクトを拡大しています。

本書の誕生も、きっかけはワークショップにありました。参加者（東日本大震災被災者）の方々から聞いた、震災体験談は、自分たちの防災に対する意識を高めてくれるもので、これを子育て中のママに広く伝えたいと思いました。

また、本書初版発行後「防災講座を開催して欲しい」という声があり、女性や子どもの自助と共助に視点を置いた〝ACTIVE防災講座〟をスタートさせています。http://ameblo.jp/active-bousai

つながるワークショップとは?

明るい笑い声が絶えないワークショップ。楽しく作業していただくと同時に、
震災のときの恐怖や、先が見えない避難生活に対する不安など、
心の中に抱えていた感情を吐き出す場にしていただけたらと考えています。
また、ここで聞いた参加者の声は、新たな企画を生み出すきっかけにもなっています。

布は厚めのキャンバス地。ものづくりの楽しさに触れていただきたくて、布地にもこだわりました。

しっかりした黒の線に、イエローとグリーンのさし色で制作された布地。

創作意欲を刺激し、はじめて参加された方でも、5分後にはアーティストに!

1 アーティスト、またはスタッフから、布描きクレヨンの使い方や塗り方のコツを説明します。それからは、自由に色塗り開始です。

2 そのままベタ塗りしてもよし、お花の中に模様を描いてもよし。デザインは色づけしながら参加者が考えます。お互いのアイデアに刺激され、個性的な花が咲いていきます。参加者の中には「他の地域で制作された布をフェイスブック上でチェックして、次回のワークショップに向けてアイデアを練っている……」という人も。

3 ワークショップは、避難生活では欠かせない情報交換を行う場としての役割も果たしています。できあがった布は裁断・縫製を行い、世界でたった1つのトートバッグに。このトートバッグが制作者と購入者を結ぶツールになっています。

本書を出版するきっかけもこのワークショップでの会話にありました。

このようにワークショップから生まれたスピンオフ企画も積極的に展開していきたいと考えています。

完成した布は太田旗店へ。
一つひとつ手作りで、丁寧に縫製し、
オンリーワンのトートバッグを制作します。

ワークショップでの様子や制作・販売の模様は、
リアルタイムでFacebook上にアップしています。
被災地に足を運べない方も、
Facebook上でバーチャル参加していただけます。

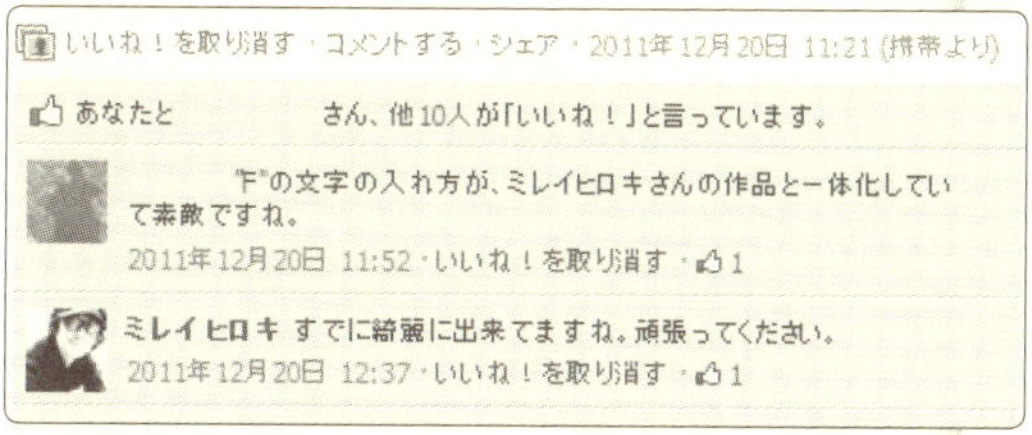

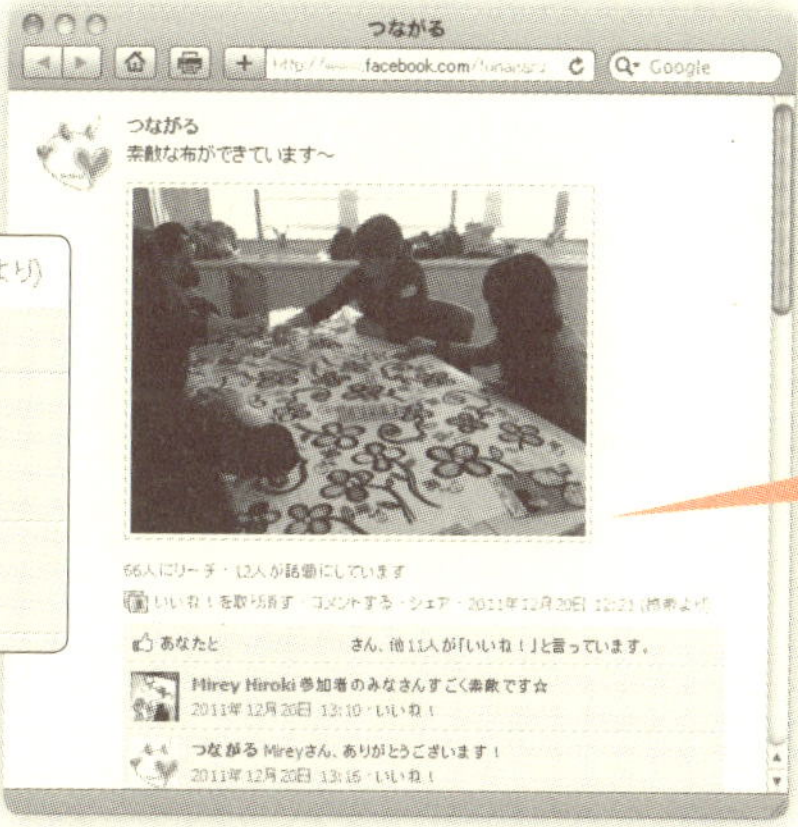

特に、国際的に活躍するアーティストからの「いいね！」が入ると、
ワークショップ参加者も大感激のようです。
「家族や友達に自慢します！」
「自分のアートセンスに自信が持てそう」と言いながら、
笑顔でいっぱいに。

◀ワークショップの様子を見ている
つながる.comメンバー。

http://つながる.com
布地の写真や参加者のコメントに対して
「いいね！」が押されると、場がとても盛り上がります。
被災地とそれ以外の地域がつながった瞬間です。

ワークショップ参加者の体験談

東日本チーム（被災者の方々）の声

2011年9月から開始したワークショップ。総合プロデュースがママ支援団体ということもあり、まずは、未就学児を持つ女性を中心に参加していただいています。ここで紹介する体験談は、未就学児を持つ女性のものがほとんどです。

「やってみる前はうまくできるのか心配でしたが、思ったよりも簡単にできてよかったです。今回のご縁で見えない部分の“つながり”を本当に、ありがたく感じました」。

「とっっっても楽しかったです!! 子どもと離れて自由にできたのがよかったです。自分の時間が持てたのは震災後はじめてです。こんな感じでまた交流会ができればと思います」。

「私にできるのか心配でしたが、とっても楽しかったです。皆さんとお話しできる機会をいただけて、ありがたかったです。また、ぜひやってください！ 話がしたいお母さんたちはいっぱいいるはず」。

「皆さんとお話ししながら、楽しく進められたので、久々にリフレッシュできた気がします。できあがったトートバッグを見てみたいです」。

「こんなに集中してぬりえをしたのは子どものころ以来です。不思議なのですが、塗れば塗るほど、感情がこみ上げてきて、いつの間にか皆さんの前で涙を流していました。同じ思いをした人たちが集まっていたせいか、子どもを預けていたからか、ホッとしたからなのか……3・11以来、はじめて泣けた自分がいました」。

「“絵”を描くということで、苦手意識がありましたが、塗れば塗るほどおもしろくなってきて、楽しく進められました！ また、機会があればぜひやりたいです。やってください！ 来ます！ プロジェクトそのものにも意味があると思いますし、その場に集まった皆で震災を共感し、話し合えたのがよかったです」。

「最初は手探りで、どうしていいか迷いましたが、あっという間に時間が過ぎ、夢中になってたんだなぁ……と改めて思いました」。

ワークショップ参加者の体験談

共催団体の方々の声

ワークショップは、現地の子育て団体や被災者支援団体との共催の形を取っています。現地で毎日の支援活動が行えない中で必要な支援を行うには、被災者の方のお気持ちをしっかりと把握した団体との連携がとても重要です。

震災後、さまざまな支援が寄せられる中で、“被災者自身が手仕事を行うことを支援する企画”という点にとても興味を持ちました。また、混乱の中にいる被災した母親たちには、同じ思いの人たちと集まってつながることがとても大切です。

手仕事を行ったことでのお母さん方への効果は計りしれません。子どもと離れ、一心不乱にクレヨンを動かすことで、非日常を感じることができたこと、同じ思いの方々とのおしゃべりの中で気がついたこと、気持ちの吐き出し。あっという間の2時間でした。

（一般社団法人マザー・ウイング　小川ゆみさん）

絵などを描くことは、心理的効果があり、子どものカウンセリングなどに多くとりいれられていますが、大人にも十分適応できるようです。

また、協同作業方式は、個性が投影されながらも、先の見えない中では、ひとつの目的達成感のナレッジ効果もあり、オープン組織としての役割も十分担えるように思います。

その意味では、グループウェアと支援活動がうまくマッチングできたビジネスモデルとも言えるかもしれません。

（日本赤十字地域奉仕団員　小林宏さん）

心の専門家に聞く、“ぬりえワークショップ”の効果

ぬりえには2つの効果があります。ひとつは、今という時間に集中することで、過去の出来事や未来への不安を感じることなく、今の自分の気持ちと向き合えることです。もうひとつは、枠のある中に色を塗っていくことで、心の整理をすることができます。その結果、心に溜まっていた感情を吐き出し、傷を癒すことにつながります。

心理カウンセラー　三浦佑子（九州AST気功クリニック http://ast-q.com/）

つながるトートとは？

「つながるトート」は、一つひとつ心を込めて制作した、
世界にたったひとつしかないトートバッグです。
高さ20cm×横20cm×幅7.5cmとランチバッグにちょうどよいサイズ。
オフィスでは、昼食時の外出に携帯やお財布、
手帳などの小物を入れるのに最適です。
お子さんのちょっとしたお出かけバッグとしても活躍します。

個性的で華やかなトートバッグを持つと、
みんな自然と笑顔になります。
東日本チームの方から
応援してもらっているような
気持ちになれる商品です。

奈桜ちゃん（3歳）　ばあばとお出かけ

楓佳ちゃん（1歳）　東京の初雪の中で……

つながるトートの役割

このプロジェクトの目的を達成するためには、
つながるトートの制作を"仕事"として成立させることが大切です。
そのため、購入者の方が「この商品を買ってよかった」と思える商品作りを目指しています。
また、「つながるトート」の役目は、完売で終了するわけではありません。
購入した方の声を東日本チームの方に伝え、その反応をさらに購入者に戻すという
重要な仕事が残っています。リピート買いしてくださった方や、
「友人が持っている実物を見てほしくなった」と購入してくださった方もいらっしゃいますから
この目標は達成できているのではないかと思います。

Facebook上にあがった購入者のコメント

Facebookを通じて、
ご購入者の方より、
トートバッグが届いた感想や
使っている写真などを
「つながるPHOTO」
「つながるメッセージ」として、
お送りいただいています。

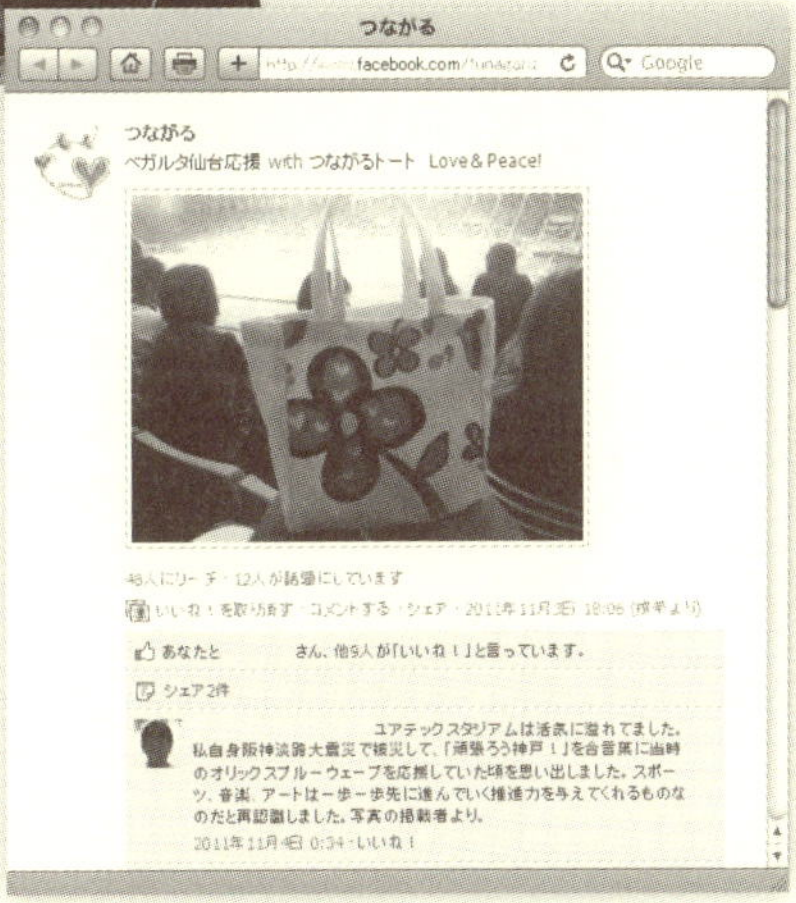

トートバッグ完売のニュースを聞いた参加者のコメント

「自分たちが作った物を買ってくれる人なんているのかなと
思っていたので、完売したと聞いて本当にうれしいです。
私たちのことを未だに気遣ってくれる方がいるのだと思うと、
がんばらなくてはと思いました」。
「いち主婦である自分に商品なんて作れるかなと不安でしたが、
自分が塗ったお花がちゃんとトートになっていたのを
見て感動しました。"やればできるんだな"と、改めて、
この年齢になって気づかされました」。

共催者のコメント

「画像も拝見しましたが、皆さんのご配慮のおかげで、とてもすてきなバッグが
できあがったようですね！　当方もうれしいかぎりです！　プロジェクトに関係された方々に、
深く感謝申し上げます。参加してくれたママさんたちも、喜んでくれるにちがいありません」。
「当県人会は、つながる.comさんのような団体からもいろいろとありがたい
お声がけをいただきながら、なんとか着実に運営しているところです。
ただその中でも、今後避難生活が長引くことが予想されることから、
やはりオイコス（家庭経済）に密着したご支援はことのほかありがたいものです。
そのようなこともあり、できましたら、今後もどうぞよろしくご支援のほどお願いいたします」。

復興に何が必要か

阪神淡路大震災の経験から

秀島慎一郎
つながる.comメンバー
株式会社 JIEC

被災者にこれから必要なのは、過去を振り返るのではなく前を向いて歩こうとする気持ち

阪神淡路大震災の本震が起こった1995年1月17日、当時の私は大学の1回生でした。

姉と共に住んでいた住宅は一瞬にして全壊。思い返すと、ケガひとつなかったのは奇跡的なことでしたが、震災直後から響き渡った悲鳴と、家の外に出た後に目にした町の光景は、今でも脳裏に焼き付いて離れません。信じられない光景でした。

私と姉は、しばらくは実家のある佐賀に帰省したため、不自由な生活を強いられたのは震災直後のみでした。

そして、実家から神戸へ戻ってからは、友人の消息を確かめること以外、ほとんど震災のことを振り返ることはありませんでした。

今思えば〝忘れたかったから〟なのだと思います。〝忘れたかったから〟というと、少し語弊があるかもしれません。ただ、当時の悲惨な光景や出来事が、常に頭の中を駆け巡る……そんな状況を作りたくなかったのです。そのためにも〝日常に早く戻りたい〟という思いと、過去を振り返るのではなく、前を向いて歩こうとする気持ちを強く持っていました。

私の気持ちを支えてくれたのは、当時のオリックス・ブルーウェーブが掲げた『がんばろうKOBE』というムーブメントでした。選手も市民も、前を向くためにつながり、力を与え合ったのです。

今回の東北大震災においても、被災者の多くが日常に戻るには長い年月を要します。阪神淡路大震災の経験から、被災者の方々に必要となるのは、過去を振り返らず、前を向いて歩こうとする気持ちだと思います。その気持ちを支えるための支援が、長期的、継続的に行なわれることがますます重要になってくると考えています。

「つながる.com」プロジェクトメンバー

※このプロジェクトは終了しました。

東日本チーム：**東日本大震災の被災者の方々**
ワークショップごとにチームを募っています。

アートディレクター：MireyHIROKI（**ミレイヒロキ**）
アーティスト。ミッキーマウス生誕75周年の記念作品を制作するなど、世界中にファンを持つ。
作品はフランスの美術館やスペイン王室などもにも永久保存されている。

布・製品制作：**株式会社太田旗店**
慶応2年から続く老舗旗店。日本に受け継がれた技術を伝承しながらも、新たな試みにも挑戦。
旗制作で出るハギレを利用した「笑心太（ecoota）」が大ヒット。

企画・マーケティング：**株式会社JIEC 川端卓、大橋洋舟、秀島慎一郎、池田笑美**
社会の基盤を支える大規模システムを構築する高い技術力で、
安心して活用することのできる情報システムを提供するITベンダー。

一時保育：**株式会社シェヴ**
「あなたのお家で必要とされる人材サービス」をコンセプトに、
オーダーメイドのサービス提供するベビーシッティング会社。

撮影：**渡邉茂樹**
はじめての出産から日の浅い「お母さんと子ども」の撮影をライフワークとするフォトグラファー。
参加した母子のポートレート撮影などを担当。

総合プロデュース：**NPO法人MAMA-PLUG Lo紀子、吉村幸恵、トミカワマミ**
ママのハッピーライフを応援するプロジェクト。
ママの自由な働き方を支援しつつ、ママと社会、ママとヒトを“PLUG（つなぐ）”することで、
ママを取り巻くさまざまな問題の解決に邁進中。

ワークショップのサポート、共催先（2011年12月31日時点）

※あいうえお順、敬称略
秋田うつくしま福島県人会、石田智子、カフェマイム（川崎ビル美装株式会社）、
川崎市東日本大震災総合支援窓口、木村桂、
ぐらす・かわさき、KS（川崎・専修）ソーシャル・ビジネス・アカデミー、
小林宏（日本赤十字地域奉仕団員）、株式会社ハリウッドビューティサロン（つながるトート販売イベント開催）、
長石竜也（Hakata Flag）、田村和子、田村謙二郎、日本食品株式会社、平野祐子、ベビースマイル石巻、
仙台子育てふれあいプラザ「のびすく泉中央」指定管理者 一般社団法人マザー・ウイング、吉村敏子

支援から生まれたアクティブ防災

想定外を減らすために

吉村幸恵
NPO法人　MAMA-PLUG　元副理事

２０１１年7月にスタートした「つながる.com」の活動を通じて、多くの被災ママにお会いし、体験を伺ってきました。被災した女性や子どもを取り巻く状況は、私たちの想像を遥かに超える、壮絶なものでした。それらは、テレビなどのメディアでは報道されていないものばかりでした。

「日本中に伝え、備えなくては」と、強く感じました。

当時、女性の生き方の多様性を提案するプロジェクトであった「MAMA-PLUG」の代表Lo紀子と、被災女性の取材を続けました。まだ震災から半年。取材やアンケートに答えていただいた被災女性の中には心身の傷が癒えない方も少なくはありませんでしたが「日本中の支援に感謝している、私たちの経験が少しでもお役に立てれば」と、快く協力していただきました。

こうして、２０１２年3月、本書が生まれました。

想定外の震災で、女性や子どもに何が起きたのか……。

被災女性の生の声を伝える1冊になりました。

本書を発売してすぐに、思いがけない出来事が起こりました。日本中の母子支援団体や自治体、ママ団体から「母子防災講座を開催してほしい」というお問い合わせをいただいたのです。

とはいえ、私たちは防災のプロではありません。

そこで、同じ女性として、被災ママの体験談を直接必要としている方々にお伝えしながら、一緒に「女性や子どもにとって本当に必要な防災術」を生み出していけたらと考えました。

２０１２年6月から防災講座をスタートさせ、ＭＡＭＡ-ＰＬＵＧのメンバーがファシリテーターとして参加。運営していく中で、被災女性の経験と、防災に取り組むママたちや保育者の意見やアイデアがつながって、ひとつの防災のカタチができあがっていきました。その手法をＭＡＭＡ-ＰＬＵＧがまとめ、体系化したのが「アクティブ防災」です。

このメソッドを活用して講座を続けるうちに、多くの女性たちから「自宅で気軽に防災に取り組めるよう、ワークブックにして欲しい」という声が相次ぎ、２０１２年12月「被災ママ８１２人が作った 子連れ防災実践ノート」を発売しました。

現在、多くのママがこのノートを手にし、アクティブ防災を実践しながら、自分の家族のニーズに合わせたオリジナルの防災に取り組んでくださっています。

東日本大震災から2年が経ちましたが、防災講座の依頼が途絶えることはありません。日本に住んでいる限り、いつどこで大震災に遭遇するのかわからないのです。「想定外」を減らして、いつどこで震災に遭遇しても、必ず生き残るための備えが必要です。

ＭＡＭＡ-ＰＬＵＧは、２０１３年2月にＮＰＯ法人となりました。「つながる.com」の活動はカタチを変えながら、刻一刻と変わっていく東日本大震災被災者のニーズに応えた展開を図っています。

２０１３年春からは、アクティブ防災にさらに力を入れ、日本全国にアクティブ防災ファシリテーターを養成していく予定です。

（２０１３年3月）

SPECIAL THANKS

取材協力してくださった被災ママ

敬称略、あいうえお順、名前掲載が可能な方のみ

明石宏美、我妻美紀、赤間彩、秋重喜久子、秋元京子、秋山真澄、浅田美樹、芦立恭子、阿部久美子、安倍章子、安倍聡子、阿部祐子、新井清美、荒井幸恵、姉帯正子、安海美智子、安藤由美子、石井かおり、石川紀子、石丸佳代、砂金奈緒、板野真澄、五日市優、伊東繁美、伊藤真紀子、伊藤栄子、池田登紀子、一條智恵理、岩館紗江子、岩間幸恵、梅村洋子、江口道子、江刺麻耶、遠藤可奈子、遠藤潤子、遠藤澄恵、生出佐奈、大江美香、大木美喜子、大谷雪、太田秀美、大友芽衣子、大友京香、大場綾、大橋規子、大久華、大野貴子、及川麗、及川奈々、岡恵美、小川ゆみ、奥裕里、奥山愛、小田島桜、男沢ハルカ、小野紀子、小野愛、小針麻友美、片山敬子、鹿糠千佳、加藤恵、加藤由美、金子牧子、かのんママ、河野優香、川本奈緒、釜石淑恵、萱場咲、菊池沙羅、北沢あゆみ、木皿聖子、北野久美子、木田なつみ、木幡陽子、木原真由美、木村典子、木村佳子、久慈佑子、久保陽子、久保田淳子、黒川佳織、黒田那奈、久下久美子、工藤美智子、熊谷里香子、郷家貴子、郷古温子、小池美穂、小山友紀、権田陽子、権藤雅美、今野望、西城綾乃、斎藤恵、斎藤薫、酒井晶、坂井久美子、境望、坂口優子、斉藤美紀、佐々木麻美、佐々木明日香、佐藤裕美、佐藤理恵、サナ、佐山愛、澤井恵美、沢木芳江、沢田麻衣子、三野宮理子、宍戸千尋、雫石真央、柴山敏江、篠原宏美、篠山里香、篠山芹那、島美咲、島谷朋、清水舞、下川原亜紀、白川あゆみ、下村加奈子、庄司典子、庄子杏、菅原由香、鈴木幸子、仙石知世、高木葵、高野菜摘、高橋由佳、高橋由香、高橋美咲、高山七海、滝口未来、滝田萌、武田さくら、武山美穂、武山綾乃、田島奈々子、田代かずこ、多田恵子、伊達綾乃、田中節子、田中美沙、田丸有佳、田村京子、玉手りみ、千葉倫、中鉢美弥、塚本恵子、塚元雪、辻恵美子、辻山祥子、土田悦子、筒井淳子、角田和子、寺松洋子、照井久子、中澤由美子、中島久美子、中田恵子、中村晶子、中西浩子、中野孝子、中村明美、中村優子、新沼緑、西尾恵子、早坂奈津美、西田ゆみこ、西尾真由美、西村美代子、西脇紀子、沼倉浅香、野口久美、野村悦子、はーくんまま、早坂友恵、晴山咲子、針生野ノ香、久成翠、平川律子、平野まや、平山愛、広瀬葉子、ふうちゃんママ、藤田智美、福田ミミ、藤川里美、藤村理恵、藤原恵美、藤原恵子、布田佐和子、古舘麻美、文屋英恵、堀江美咲、堀篭玲子、本田陽子、牧野美樹、松浦みのり、松原裕美、松本望美、丸山まり、三浦瞳、宮坂真智子、宮田美千代、武藤あんな、村井早紀、村上菊枝、毛利あゆみ、むーたん、森千鶴子、森本里美、門馬磨衣、門間淳子、八重樫映子、安岡美幸、安田みゆ、安永由里香、矢野和江、矢野順子、山内真美、山口智美、山口遥、山崎尚美、山田泉、山本香澄、山本康子、山本里恵、山本良子、山脇信子、横井知恵子、横田千晶、横山真智子、遊佐悠、吉田綾子、吉田麗子、吉永加奈子、吉野繁子、ルキmama、若生牧子、若松洋子、渡瀬美紀、渡辺幸子、渡辺和恵、渡部真紀、和山カナ、Ruban de fe'ee

取材協力してくださった専門家、専門機関の方々

特定非営利活動法人アレルギー支援ネットワーク、MFAジャパン株式会社、脇本靖子(川崎市男女共同参画センター)、金山竜也(社団法人日本キャンプ協会)、特定非営利活動法人全国女性シェルターネット、島田智史(専心良治)、多田千尋(NPO法人日本グッド・トイ委員会)、公益財団法人東京防災救急協会、一般社団法人日本救急医学会、日本赤十字社、社団法人日本自閉症協会、兵庫県こころのケアセンター、ふくしま絆ピーチ会、藤原伸哉(社会福祉法人豊心会)、本庄豊(TACチャイルドクラブ)、三浦佑子(九州AST気功クリニック)、YUMIKA YAMAMOTO(benessence)

池田笑美、井戸川亜津奈、井戸川楓佳、大橋洋舟、川端卓、杉本可古、田村愛琳、富川奈桜、トミカワマミ、秀島慎一郎、吉村仁志、吉村倫子、吉村奏人

and more……

被災ママからのメッセージ

2011年3月11日。
大切な肉親、友人、ふるさと、思い出、日常を
失ってしまった、すべての方に、
心からお見舞い申し上げます。

毎日テレビに映し出される
慣れ親しんだ地域の被災映像。
子どもがいて、泥かきボランティアなどにも行けず
「何か役に立ちたい！」と
生かされた自分が何をすべきか悶々と悩んでいました。
そんなとき、Twitterを通じ
MAMA-PLUGの皆様と出会い
この本に関わる事ができました。

「子どもがいるからこそ大変だった被災経験」を
イラストで多くの人に知ってもらうことが、
たくさんの支援をしてくださった皆様への
私にできる小さな小さな恩返しだと思っています。

今後、起こりうる大きな震災にあったとき
「前に本で読んだことある！ こうするといいんだった！」
と思い出してもらえたらと思います。
そのとき、もし、自分の子どもが大きく成長していたら、
小さな子どもを持つママたちにアドバイスを
してあげてください。
本当にささいな知識かもしれませんが、
知っているだけで、非常事態をやり過ごせると思います。

震災後の被災生活は、私ひとりでは、
どうにもできませんでした。

毎日支えてくれた夫、
大変だったけど毎日笑いと癒しを与えてくれた息子、
「お互い様よ！」と助けてくれた家族、親戚、
子どもを守ってくれた保育園の先生方、
心配をかけた友人、同僚の皆様、
日本中、世界中から救援に来てくださった皆様、
電気をつないでくれた人、
水道管を直してくれた人、
ガスを復旧してくれた人、
給水所や避難所を運営してくれた人、
救援物資を届けにきてくれた人、
そして「つながる.com」をはじめ、
今も被災地に支援をしている皆様。
このページをお借りして、
「本当に、本当に、ありがとう」と
感謝の気持ちを伝えたいです。

最後に……
一日も早く、行方不明の方がご家族の元に
帰られますように。

震災にあったすべての人に
「復興」と「福幸」が感じられる日が早く訪れますように。

イラストレーター
アベナオミ

PROFILE
宮城県生まれ。日本ビジネススクール仙台校（現在は日本デザイナー芸術学院仙台校）卒業後、地域情報誌のMacオペレーターをしながらイラストレーターとして活動中。2008年メディアファクトリー『第13回コミックエッセイプチ大賞』C賞受賞。2010年『超本当にあった（生）ここだけの話』（芳文社）でマンガ家デビュー。現在も宮城県在住。
BLOG「うさぎとお絵描き」 http://abenaomi.exblog.jp/
twitter @abe_naomi_

本書の印税の一部は
アクティブ防災啓発活動に使われます。

企画　**NPO法人MAMA-PLUG**
www.active-bousai.com

編集　**Lo紀子**(MAMA-PLUG), **MARU**
http://www.web-mamaplug.com

イラストレーション　**アベナオミ**

装幀・本文デザイン　**今東淳雄**(maro design)
http://www.maro.jp/

写真提供　**渡邉茂樹**〈P.132右上, P.134, P.136右上〉

資料提供　**小川ゆみ**(一般社団法人 マザー・ウイング)

被災ママ812人が作った
子連れ防災手帖

2012年3月2日　初版第1刷発行
2016年5月13日　第12刷発行

編者　つながる.com
発行者　川金 正法
発　行　株式会社KADOKAWA
〒102-8177　東京都千代田区富士見2-13-3
0570-002-301(カスタマーサポート・ナビダイヤル)
年末年始を除く平日9:00～17:00まで

印刷・製本　共同印刷株式会社

ISBN 978-4-04-066621-1 C0036

Printed in Japan
http://www.kadokawa.co.jp/